작업치료에 관한 10가지 생각

작업치료에 관한 10가지 생각

발   행 | 2016년 05월 17일
저   자 | 김재욱
펴낸이 | 한건희
펴낸곳 | 주식회사 부크크
출판사등록 | 2014.07.15.(제2014-16호)
주   소 | 경기 부천시 원미구 춘의동 202 춘의테크노파크2단지 202동 1306호
전   화 | (070) 4085-7599
이메일 | info@bookk.co.kr

ISBN | 979-11-5811-072-7

www.bookk.co.kr

작업치료에 관한 10가지 생각

김재욱 지음

어떤 말로도 표현할 수 없는
넓고 깊은 사랑과 헌신으로
지금의 나를 존재하게 해 주신
사랑하는 나의 부모님,
감사합니다.
사랑합니다.

차례

나는 '작업'을 한다

작업치료를 시작하면서 가진 꿈이 있었다. 그것은 내가 작업치료사로서 작업치료를 한지 10년이 되는 해에 반드시 대한민국의 작업치료사들과 작업치료를 공부하고 연구하는 사람들을 위한 책을 쓰는 것이었다.

임상 현장에서 내가 직접 체험하고, 고민하고, 공부하고, 시도하며 깨달은 것들을 나눌 수 있는 글들을 담은 책을 쓰고 싶었다. 10년간 줄곧 꿨던 꿈이었다.

그 꿈을 꾼 지 10년이 되는 해가 되었다. 그래서 나는 꿈을 이루기 위해 그동안 써놓은 글들을 하나하나 읽어 보았다. 열정만 가득했던 글들도 있었고, 풋풋함이 가득했던 글들도 있었으며, 지금보다 미흡한 생각이 담긴 글들도 있었다. 또 너무 장문의 글이라서 그 글을 쓴 나 자신조차 읽고 싶지 않은 글도 있었다. 하지만 각양각색의 글들이 10년이란 시간 동안 내 꿈을 든든히 지켜주고 있었다. 고마웠다. 그리고 소중했다.

글재주라고는 눈곱만큼도 없는 내가 책을 쓴다면 분명 어설프고 서투르리라는 것을 잘 안다. 그럼에도 불구하고 내가 이 책을 쓰게 된 것은, 바로 책을 쓰는 일이 나에게 중요한 '작업'이었기 때문이다. 내가 쓴 책이 좋은 책이고 잘 쓴 책이길 바라지만, 정작 내게 가장 중요했던 것은 이 책을 쓰는 과정에서 내가 갖는 의미와 목적이었다.

나는 작업치료사로서 작업치료를 하는 것이 기쁘고 행복하며 자랑스럽다. 작업치료를 하면서 만나게 되는 많은 사람들의 작업과 그들의 삶을 통해 나는 항상 배우고 성장할 수 있었다. 그리고 그 과정에서 어제보다 더 나은 오늘의 내가 될 수 있었다. 그렇게 작업치료는 나 자신을 이해하고 더 많은 사람들과 보다 넓은 세상을 이해하는 데 큰 도움을 주었다. 결국 나는 작업치료를 통해 만났던 많은 사람들에게 항상 거룩한 빚을 지고 있는 것이다.

나는 내가 작업치료를 통해 배우고, 공부하고, 깨달은 것을 나와 같은 일을 하는 이들과 공유하고 나누는 것이 그 빚을 갚아나가는 일이라고 생각한다. 나아가 작업치료를 하는 사람들과 작업치료를 필요로 하는 사람들이 자기 자신과 본인의 삶을 더욱 소중히 여기고 가치 있게 살아갈 수 있도록 하는 데 조금이라도 기여하고 공헌하고 싶다. 이러한 의미와 목적으로 나는 이 책을 쓴다.

대한민국의 작업치료사로서 작업치료를 한다는 것은 결코 쉽지 않은 일이다. 열정이나 노력만으로는 작업을 토대로 작업치료를 해 나갈 수 없는 견고한 현실의 벽이 어디에나 굳건히 세워져 있기 때문이다. 그 벽이 높고 단단해 보이지만 사실 진짜 넘을 수 없이 높고, 부술 수 없을 것 같이 단단한 벽은 바로 '나'라는 벽이다. '작업치료사로서의 나'라는 정체성의 부재와 혼란은 작업치료사로서의 역할과 작업치료에 대한 목적과 방향의 상실로 이어질 수 있다. 따라서 작업치료사가 가장 먼저 넘고 부숴야 하는 벽은 바로 '나'라는 벽이다.

그래서 나는 '작업치료사로서의 나'에 대해 생각해 볼 수 있는 열 가지 주제들을 선별하여 준비했다. 이 주제들은 내가 '작업치료사로서의 나'에 대한 정체성과 역할을 확립하고, 작업치료에 대한 목적과 방향성을 분명히 하는 데 큰 도움을 주었다. 적어도 내게는 확실히 그랬다.

열 가지 주제를 모두 기억할 필요는 없다. 고민했었고 마음에 와 닿는 한 가지 주제라도 기억에 담아두고 사색해 보면 된다. 글의 내용을 바탕으로 자신의 의견이나 생각을 덧붙여 자기만의 것으로 소화시키면 된다. 아울러 그 한 가지를 실천해 본다면 새로워진 자신을 어렵지 않게 만나게 될 것이다.

　이 책을 쓰는 것은 나의 꿈을 이루는 것이자 동시에 나의 '작업'을 하는 것이다. 이 책을 읽는 것이 당신의 꿈을 이루는 데, 또 당신의 '작업'을 하는 데 도움이 되기를 바란다.

　진심으로 바란다.

2016년 5월
김재욱

생각 *1.*

'작업치료가 뭐예요?'라고 묻는다면

"'작업치료가 뭐예요?'라는 질문에 어떻게 대답해야 할까요?"

이 질문은 나 역시 작업치료를 전공하는 학생들을 대상으로 강의를 할 때마다 자주 들었던 질문이다. 사실 작업치료를 어떻게 설명해야 하는지는 비단 작업치료를 전공하는 학생들뿐만 아니라 작업치료사들조차도 어려워하는 경우가 적지 않다.

이러한 주된 이유는 대부분 자신들의 입장에서 작업치료를 설명하려 하기 때문이다. 즉, 작업치료에 대해 묻는 이들의 이해 수준을 고려하지 않은 상태에서 작업치료를 설명하려 하기 때문에 다른 사람들에게 작업치료를 설명하고 이해시키는 데 어려움을 겪는 것이다.

작업치료사들은 전공 서적이나 강의 혹은 작업치료와 관련된 사람들과의 만남 등등 여러 경로를 통해 작업이나 작업치료에 대해 이미 어느 정도 알고 있거나 익숙해져 있다.

그러나 작업치료사들에게 작업치료가 무엇이냐고 묻는 사람들은 다르다. 이것이 바로 작업치료가 무엇인지에 대한 질문에 대답하려 할 때 반드시 명심해야 할 점이다.

그들이 작업치료가 무엇인지 묻는 이유는 보통 작업치료가 그들에게 생소하기 때문이다. 우선 '작업치료'라는 용어 자체부터 그들에게는 무척 낯선 것이다. 심지어 작업치료에서 말하는 '작업'이라는 말조차 일상생활에서 사용하는 '작업'이라는 말과 그 뜻이나 개념이 같지 않다(참고로 작업치료에서 쓰는 '작업'이라는 말은 영어로는 'occupation'이다. 이 'occupation'을 일본에서 '작업'으로 번역했고 그것을 우리나라에서도 그대로 쓰고 있다). 그러니 '작업치료'라는 말이 그들에게 얼마나 낯설겠는가. 따라서 그런 사람들에게 작업치료사들이 알고 있는 수준이나 관점을 바탕으로 작업치료를 설명하는 것은 그들을 더욱 혼란스럽게 만들 뿐이다.

소통이란 상대방이 이해할 수 있는 수준이나 용어(말)로 해야 하는 것이 원칙이다. 예를 들어 상대방의 연령에 따라, 직업에 따라, 교육 수준에 따라 그 설명이 달라져야 한다. 임상에서는 진단명에 따라 그 설명을 달리 할 수 있어야 할 정도다. 이 말은 책에 있는 대로 '작업'이나 '작업치료'를 설명하는 것으로는 상대방을 이해시키기 어렵다는 뜻이다. 설사 치료사가 자신의 치료 경험을 예시로 들어 설명한다 하더라도 그것 역시 자기 입장에서의 경험치를 바탕으로 하는 설명이기 때문에 상대방을 이해시키는 데는 분명 한계가 있다. 각 개인에 따라 경험과 해석의 차이가 발생하기 때문이다.

그러므로 상대방에게 '작업'이나 '작업치료'라는 용어의 정의나 개념 자체를 이론적으로 설명하기보다는, 익숙한 것들로부터 상대방 스스로가 생각해 볼 수 있는 화두를 제시한 후 그것을 작업치료에서 말하는 '작업', '작업치료'와 관련지어 이해시키는 것이 효과적이다.

이해를 돕기 위해 한 강의에서 "'작업치료가 무엇이냐'는 질문에 어떻게 대답해야 할까요?"라고 물었던 한 학생의 질문에 대한 내 답변을 소개하고자 한다.

이 질문을 받았을 때 나는 바로 대답하려 하지 않았다. 우선 학생들이 자신에게 익숙한 것들로부터 자기 '작업'에 대해 먼저 생각해 볼 수 있게 했다. 이를 위해 나는 몇몇 학생들에게 무엇을 할 때 가장 좋고 즐거운지, 살아가면서 꼭 해야 한다고 생각하는 일은 무엇인지, 또 만약 하지 못하면 죽을 것 같은 일들이 무엇인지 물었다(필요한 것 혹은 해야만 하는 것으로 바꿔 질문해도 무방하다).

각 학생들은 잠을 자는 것, 먹는 것, 남자친구를 만나는 것, 영화를 보는 것, 샤워를 하는 것 등 다양한 답변을 내놓았다. 나는 그들이 대답한 것들을 왜 해야 하는지, 어떤 목적이 있는지, 그 일들이 어떤 의미가 있는지 등을 해당 학생들에게 다시 질문했다. 그들은 각자가 말한 일들에 대해 본인들이 가지고 있는 자기만의 이유, 목적, 의미를 나와 다른 학생들에게 이야기해 주었다.

그들의 이야기를 모두 듣고 난 후 나는 세상에 있는 많은 일들 가운데 이렇듯 '자기만의 의미와 목적을 가지고 하고 싶은 일, 필요한 일, 해야 하는 일'이 바로 작업치료에서 말하는 '작업'이라고 설명했다. 다른 부가적인 설명은 하지 않았고 할 필요도 없었다.

이런 간단한 설명에도 불구하고 학생들은 '작업'이 무엇인지 쉽게 알게 되었다는 피드백을 주었다. 심지어 자신들이 이제까지 외우고 있었던 작업에 대한 개념과 정의가 어떤 뜻인지 그제야 비로소 깨닫게 되었다는 학생들도 있었다. 먼저 자기 작업을 생각해 보고 그것과 관련지어 작업의 개념과 정의를 들으니 이해가 훨씬 쉽다는 것이었다. 그리고 이해했기 때문에 다른 사람들에게도 설명할 수 있을 것 같다고 했다. '설명할 수 없다면 이해한 것이 아니다'라는 말에 나는 진심으로 동의한다. 그렇다. 오직 설명할 수 있는 것만이 진정 이해한 것이다.

내가 한 것이라고는 그저 학생들의 이해 수준을 고려하여 그들에게 익숙한 것들로부터 작업에 대한 정의와 개념을 생각해 볼 수 있는 질문을 한 후, 작업치료에서 말하는 작업이 무엇인지 이야기한 것이 전부였다. 학생들은 자신의 작업에 대해 생각해 보면서 스스로 작업의 개념과 정의를 이해하게 된 것이었다. 그리고 나는 그들이 그렇게 할 수 있도록 거들었을 뿐이었다.

작업을 이해시키는 데 성공했으니 다음으로 작업치료를 이해시킬 차례였다. 사실 작업을 이해시켰다면 작업치료를 이해시키는 것은 식은 죽 먹기다. 왜냐하면 작업치료란 작업을 삶에서 해 나가도록(doing) 돕는 치료이기 때문이다.

나는 각 학생들에게 다시 질문을 했다. 만약 어떠한 이유로 인해 잠을 잘 수 없다면, 음식을 먹을 수 없다면, 남자친구를 만날 수 없다면, 영화를 보러 갈 수 없다면, 샤워를 할 수 없다면 어떨 것 같은지 물었다. 즉 본인들에게 무척 중요하고 의미가 있는 일을 할 수 없게 되었을 때 어떤 기분일지, 어떤 생각이 들지 상상해 보라고 했다. 그러자 각 학생들은 "죽을 것 같다.", "끔찍하다.", "괴롭고 힘들 것이다.", "살 이유나 의미가 없을 것 같다." 등의 답변들을 내놓았다.

다소 극단적인 질문이기는 하지만 작업을 할 수 없게 되었을 때 어떨지 먼저 생각하고 느껴 보게 했던 것이다. 그리고 그렇게 어떠한 이유로 인해 본인이 하고 싶은 일, 필요한 일, 해야 하는 일, 즉 작업을 할 수 없게 되었거나 작업을 해 나가는 데 문제가 생겼을 때, 이를 해결하여 삶에서 작업을 해 나가도록(doing) 돕는 치료가 바로 작업치료라고 설명했다.

결과는 어떠했을까? 난 이미 이전에도 이와 같은 설명을 통해 작업치료에 관해 전혀 들어본 적이 없는 사람들에게 최소한 작업치료가 무엇인지 정도는 쉽게 이해시킬 수 있었다. 그것은 결코 적은 횟수가 아니었다.(어떻게 'doing' 하게 할 것인가는 작업치료를 어떻게 할 것인가에 대한 것이므로 여기서는 다루지 않을 생각이다. 지금은 작업치료가 무엇인지 이해시키는 데 초점을 두고 이야기한다.)

'작업치료가 뭐예요?'라는 질문을 받았을 때 책을 통해 암기하고 있는 내용으로 대답하려 하지 말라. 또 나의 관점과 입장에 머물러 내가 하고 싶은 말만 해주는 식의 답변은 삼가라. 그 대신 먼저 묻는 이들의 입장과 이해 가능 수준을 파악하고 그들에게 익숙하고 친숙한 것들로부터 작업과 작업치료에 대해 스스로 생각해 볼 수 있는 질문을 하라. 그런 다음 그 질문에 대한 답변으로부터 작업치료에서 말하는 작업과 작업치료가 무엇인지 이해시켜라. 이러한 방식으로 작업치료를 설명하는 것에 숙달되면 내 경험 상 연령, 직업, 교육 정도, 진단명 등에 관계없이 각 사람들에 맞춰 작업치료를 이해시킬 수 있다.

나아가 작업치료에 대해 한 번도 접해본 적이 없는 이들에게도 최소한 작업치료가 무엇인지 정도는 충분히 이해시킬 수 있을 것이다. 그리고 그렇게 할 수 있을 때 비로소 작업과 작업치료를 설명하는 자기 자신도 그만큼 작업과 작업치료에 대해 더욱 넓고 깊게 사고하고 이해할 수 있게 되었음을 느끼게 될 것이다.

생각 2.

목적적인 활동과 작업의 차이

작업치료사 A는 환자가 탁구 치는 것을 좋아하는데, 탁구를 치려는 그의 목적이 탁구를 치는 것 자체가 주는 즐거움을 얻기 위함이기도 하지만, 궁극적으로는 탁구가 균형, 자세, 팔 등의 신체적인 기능 회복에 도움이 되어 탁구를 치려고 하는 것이기 때문에, 탁구가 그의 작업(occupation)이라기보다는 목적적인 활동(purposeful activity)이라고 생각해서 치료 목표로 잡지 않았다고 했다.

작업치료사 B는 자신의 외래 환자 중 치료 시간에 하는 농구(좀 더 자세히 말하자면, 간이 농구대에 농구공을 넣는 것)를 무척 좋아하는 할머니가 있는데, 비록 농구를 좋아해서 하는 것이기는 하지만 주된 이유가 공을 던지는 동안 선 자세를 유지하고 팔다리를 움직임으로써 운동이 된다고 생각해서 하는 것이기 때문에, 자기 생각에는 이것이 작업(occupation)이라기보다는 신체적 회복에 목적을 둔 목적적인 활동(purposeful activity)이라는 생각이 들어서 이를 치료 목표로 잡는 게 맞는지 모르겠다고 했다.

그것이 작업이 아니라는 생각이 들었던 또 다른 이유는 할머니가 꼭 치료실에 와야만 할 수 있는 활동이기 때문이라고 했다. 즉, 농구는 치료실에서만 가능한 활동이기 때문에 치료실에서 하는 치료 활동으로 봐야하고, 그래서 목적적인 활동(purposeful activity)이라고 생각한다는 것이었다.

이와 관련하여 나는 다음과 같은 질문을 했다.

내가 팔의 힘을 키우고 싶어서 헬스장에 가서 팔의 근력을 향상시키는 운동을 한다고 하면 이것은 작업인가, 목적적인 활동인가?

내가 뱃살을 빼기 위해 집이나 헬스장에서 윗몸 일으키기를 한다면 이는 작업인가, 목적적인 활동인가?

내가 오래 달릴 수 있는 능력을 키우기 위해, 매일 밤 한강에 나가서 달리기를 한다면 이는 작업인가, 목적적인 활동인가?

목적적인 활동과 작업의 공통점은 두 활동들 모두 어떤 목적이 있는 활동이라는 것이다. 하지만 목적적인 활동과 작업은 분명 다르다. 그리고 이를 구분하는 가장 중요한 기준 중 하나는 『그 활동의 목적이나 의미가 누구에게 있는 가?』이다.

예를 들어, 뱃살을 빼려는 목적으로 윗몸 일으키기를 할 때 그 목적이 행위자 자신에게서 나온 것이라면, 그것은 그 사람의 작업이다. 반면 뱃살을 빼려는 목적이 행위자 자신이 아닌 (이성) 친구나 부모님과 같은 다른 누군가에게서 비롯된 것이고, 그들이 윗몸 일으키기를 하라고 해서 하는 것이라면, 이때 윗몸 일으키기는 그 행위자에게 그저 목적적인 활동에 지나지 않는다.

가령, 엄마가 "너 뱃살이 그게 뭐니? 뱃살 좀 빼! 뱃살 빼는 데 윗몸 일으키기가 최고니까 매일 윗몸 일으키기 50개씩 해!"라고 하거나 치료사가 "탁구에서 지는 사람이 윗몸 일으키기 하는 거예요. 윗몸 일으키기 하면서 뱃살도 빼고 복근도 단련하면 일석이조잖아요. 아셨죠?"라고 해서 윗몸 일으키기를 하는 경우는 모두 행위자가 자신의 목적을 위해서 그것을 하는 게 아니다. 그렇기 때문에 스스로 하려고 하지 않거나 설령 한다 하더라도 그 활동의 목적이 제대로 달성되기 어렵다. 다른 사람의 목적을 위해 하는 일인 까닭이다.

작업이란 의미와 목적을 가진 활동이다. 목적적인 활동 또한 의미와 목적이 있는 활동이다. 다만, 그 둘의 차이는 그 의미와 목적이 누구에게서 비롯되었는가에 있다. 만약 이 둘이 헷갈린다면 그 활동의 목적이 누구에게 있는가를 먼저 살펴보아야 한다. 그리고 이것이야말로 상대방의 작업을 이해하는 데 가장 기본이 되는 것이다. 다시 말해 나의 생각, 입장, 관점이 아닌 상대방의 생각, 입장, 관점에서 그가 말하는 활동을 바라봐야 하는 것이다. 작업치료에서 흔히 말하는 '클라이언트 중심의 관점'에서 그들을 이해하려고 할 때 비로소 그들의 작업을 제대로 이해할 수 있다.

위의 상황과 관련하여 한 가지 더 생각해 볼 것은 작업과 작업 수행과의 관계이다. 행위자에게 의미와 목적이 있는 활동이 바로 작업이다. 작업 수행이란 작업의 의미와 목적을 달성하기 위한 일련의 행위들을 실제로 하는 것을 말한다. 그리고 작업 수행은 사람과 작업인 과제 그리고 환경 간의 상호작용을 통해 이루어진다. 즉 작업인 과제가 있더라도 그 작업과 관련한 사람과 환경 간의 상호작용이 이루어지지 않는다면 작업 수행은 이루어지기 어렵다. 이것은 '작업 수행에 대한 문제'인 것이지 '작업이다, 아니다. 혹은 작업이 맞다, 틀리다.'의 문제가 아니라는 것을 분명하게 구별할 필요가 있다.

예를 들자면 내가 아는 한 친구는 바다에서 수영하는 것을 무척 좋아한다. 그에게 바다에서 수영하는 것은 삶에서 가장 큰 즐거움을 얻는 일이자 휴가 때마다 빼놓을 수 없는 필수적인 일이다. 그래서 그는 매년 여름이 되면 바다를 찾아가 수영을 즐긴다. 그런데 그가 바다에 가서 수영하는 것은 매일 할 수 있는 일이 아니다. 우선 '바다에서 수영을 즐긴다'라는 작업을 수행하기 위해서는 바다라는 물리적인 공간이 반드시 필요하기 때문이다. 따라서 바다라는 공간은 '바다에서 수영을 즐긴다'라는 작업 수행의 가능 여부를 결정짓는 중요한 환경적인 조건 중 하나이다.

하지만 기억할 것은 설령 어떤 이유로 바다가 사라진다거나 그 친구가 다시는 바다에 갈 수 없다 하더라도, 바다에서 수영을 즐기는 일이 여전히 그에게 의미와 목적이 있고, 그가 하고 싶어 하고 필요로 하는 일이라면, 그것이 그의 작업이라는 사실에는 변함이 없다는 점이다. 다만, 그런 경우라면 환경적인 제약으로 인해 그의 작업 수행에 문제나 한계가 생긴 것이라고 봐야 한다.

작업치료사 B가 치료하는 할머니도 이와 같은 경우라고 볼 수 있다. 그 할머니에게 농구는 신체적 활동을 촉진하고 재미까지 느낄 수 있는 그만의 목적과 의미가 분명한 작업이다. 다만 이 작업의 수행은 현재 B가 치료하는 치료실 환경에서만 가능하다. 이는 곧 농구대와 농구공 등의 도구들이 갖춰져 있고, 이 활동을 할 수 있는 공간이 있으며, 필요한 도구와 공간을 준비해 주고 그가 공을 안전하게 던질수 있도록 돕는 치료사 B라는 사람이 있는 특정한 환경에서만 그의 작업의 수행이 가능하다는 뜻이다.

그러나 그런 환경이 갖춰진 곳에서만 수행이 가능하다는 이유만으로 농구가 할머니의 작업이 아니라고 하는 건 적절치 않다. 대신 그의 작업 수행이 현재는 앞서 말한 특정한 환경에서만 가능한 것이라고 봐야 한다. 즉, 특정한 환경에서만 수행을 할 수 있기 때문에 농구가 그 할머니에게 작업이 아니라고 보는 것은, 사실 작업과 작업 수행을 혼동하는 데서 발생하는 오류인 것이다(만약 지속적인 환경 상의 제약 때문에 자기가 원하는 작업을 수행할 수 없게 되어 농구에 대한 할머니의 의미와 목적이 변하거나 없어진다면 그때는 더 이상 할머니의 작업이 아니다).

참고로 이런 경우 생각해 볼 수 있는 것이 바로 작업 수행의 확장이다. 예를 들어, 할머니가 이 농구를 집에서도 하고 싶어 한다면 작업치료사는 치료실이라는 환경에서만이 아니라 집에서도 할머니가 농구라는 작업을 수행할 수 있도록 작업 수행의 범위를 확장시켜야 한다. 다만 이를 위해서는 도구, 공간, 보조자의 여부 등등 환경뿐 아니라 목표한 작업 수행에 필요한 다른 여러 맥락을 보다 폭넓게 파악하고, 그러한 작업 수행의 맥락을 갖출 수 있도록 돕는 치료가 이루어져야 한다.

정리하자면, 목적적인 활동과 작업을 구분하는 중요한 기준 중 하나가 바로 그 활동에 대한 의미와 목적이 누구에게 있는가라는 것을 기억해야 한다. 그리고 작업과 작업 수행을 분명하게 구별할 수 있어야 한다. 다시 말해, 작업을 수행하는 데 문제나 제약이 있다고 해서 작업을 목적적인 활동으로 치부해 버리는 오류를 범해서는 안 된다는 뜻이다.

생각 3.

'걷게만 해 주세요'를 통해 '작업'을 이해하려면

먼저 '걷기'가 작업이 아닌 이유는 무엇일까?

이를 명확히 이해하기 위해서는 작업과 작업 수행에 대한 개념을 다시 한 번 짚어볼 필요가 있다.

세상에는 많은 일들이 있다. 많은 일들 가운데 사람이 어떤 일에 자신의 의미와 목적을 부여할 때, 비로소 그 일은 그 사람의 작업이 될 수 있다. 다시 말해, 사람이 의미와 목적을 부여하지 않은 일은 작업이라 할 수 없다.

작업 수행(occupational performance)이란 무엇일까? 작업 수행이란 말 그대로 작업(occupation)을 수행하는 것(perform)이다. 즉 어떤 일에 대한 의미와 목적을 달성하기 위한 일련의 목적 지향적인 행동들(goal-directed actions)을 자신의 의지와 노력으로 행하는 것(doing)을 뜻한다.

예를 들어 '컵에 든 물을 마신다'라는 작업의 수행은 컵을 향해 팔을 뻗는 행동, 컵을 잡는 행동, 컵을 들어 올리는 행동, 컵을 가져오는 행동, 컵을 기울이는 행동 등등 컵에 들어 있는 물을 마시려는 목적을 이루는 데 필요한 일련의 행동들(actions)을 의지를 가지고 행하는 것이다.

'걷기'는 어떤 목적을 달성하기 위한 하나의 행동(action)은 될 수 있지만 그 자체로는 어떤 의미나 목적이 없다. 즉 걷기란 몸을 이동시키는 하나의 행동(action)에 지나지 않기 때문에 그 자체로는 작업이 될 수가 없는 것이다. 그러므로 걷는 것이 작업이 되기 위해서는 『왜 걷고자 하는가?』라는 보다 근원적인 질문에 대한 답이 필요하다. 다시 말해, 걷는 행동을 하고자 하는 분명하고 구체적인 의미와 목적이 있어야 하는 것이다. 그리고 그 의미와 목적을 달성하기 위해서는 사실 '걷기'라는 하나의 행동뿐 아니라, 그 의미와 목적을 달성하는 데 필요한 다른 일련의 행동들이 있고 '걷기'가 그 행동들과 연계되어야만 할 것이다. 즉 '걷기'라는 행동을 포함하는 일(작업)이 무엇인지 알아야 하고, 그 작업의 수행 속에서 '걷기'를 바라봐야 한다.

이를 위해서는 걸었으면 좋겠다고 하거나 걷는 것에 대한 치료를 원하는 환자와 보호자를 만났을 때, 그들이 『왜 걷고자 하는가?』를 반드시 알아야 한다. 그리고 그들이 '걷고 싶다'고 말할 때 그 자체는 작업이 아니지만 그들의 작업을 이해할 수 있는 소중한 단서라는 사실을 결코 놓쳐서는 안된다.

그렇다고 직접적으로 『왜 걷고 싶어 합니까?』라고 묻는 것은 결코 좋은 방법이 아니다. 걷고 싶다는 말을 통해 그들의 욕구와 니즈(needs)를 알았다면, 반드시 이러한 욕구와 니즈를 갖게 된 그들만의 맥락(context)을 파악해야 한다. 그 맥락을 제대로 파악할 때 그들이 가진 의미와 목적을 보다 명확하고 구체적으로 이해할 수 있고, 나아가 그 욕구와 니즈를 충족시켜줄 수 있는 그들의 작업이 무엇인지도 알 수 있다.

그런데 맥락을 파악하라고 하면 이를 어려워하는 경우가 꽤 많다. 뭔가를 알아내야 한다고 생각하다 보니 치료사 자신도 모르게 본인이 알고 싶은 것을 확인하는 쪽으로 빠져서 결국 취조(?)가 되는 일이 적지 않은 까닭이다.

이와 관련하여 몇 가지 조언을 하자면, 먼저 걷는 것과 관련하여 환자나 보호자가 겪고 있는 문제에 대해 이야기를 나눠 보라. 혹은 걷게 되었을 때 가장 먼저 하고 싶은 일이 무엇인지 이야기를 나눠 보는 것도 좋다. 아니면 걷기 위해 현재 무엇을 하고 있는지 이야기를 나눠 보는 것도 큰 도움이 된다. 이러한 질문들은 모두 치료사가 원하는 것을 확인하는 것이 아닌 그들의 욕구와 니즈를 스스로 표현할 수 있도록 돕는 것이기에, 그들로 하여금 보다 편안하게 걷는 것을 요구하는 혹은 요구할 수밖에 없는 자기만의 맥락을 이야기할 수 있게 한다. 그리고 치료사도 자연스러운 대화를 통해 걷는 것과 관련된 그들의 맥락을 듣고 이해할 수 있다.

나의 사례를 이야기하자면, 한 환자가 상담 때 걸을 수만 있으면 뭐든 다 할 수 있으니 걷게만 해 달라고 했다. 이에 나는 걷지를 못하니 생활 중 불편한 것이 이만저만이 아니겠다고 했다. 그러자 그는 생활을 하면서 걷지 못하기 때문에 겪고 있는 힘들고 불편한 점들을 쏟아내기 시작했다.

참 많은 이야기를 해주었는데 그중에서도 화장실을 갈 때마다 도움이 필요해서 항상 사람이 있어야 한다고 했다. 특히, 한밤중에 화장실을 가려면 자고 있는 사람을 깨워야 하는데 그게 얼마나 미안한 일인지, 화장실을 갈 때마다 휠체어를 타야 하는 것이 얼마나 불편하고 번거로운 일인지 등을 열렬히 토로했다. 그렇다. 그것이 바로 그가 걷지 못해 겪고 있는 가장 힘든 문제였던 것이다. 또한 그가 걸을 수 있게 되었을 때 가장 먼저 스스로 하고 싶어 하는 일이기도 했다.

그 후 진행한 상담에서는 그와 관련된 이야기를 보다 심도 있게 나누었다. 그는 걷지 못해 겪고 있는 생활의 어려움과 문제를 이야기하면서 자기가 무엇 때문에 걷고자 하는지 스스로 생각해 보게 되었다. 그 과정에서 걷는 것을 통해 궁극적으로 이루고자 하는 의미와 목적을 깨닫게 되었고 자기가 원하고 필요로 하고 해야 하는 일이 무엇인지도 자각하게 되었다. 즉, 자신의 작업을 스스로 알게 된 것이다.

그리고 나 역시 걷는 것 자체에 대한 문제가 아닌 그의 작업과 관련된 어려움과 문제를 이해할 수 있게 되었고, 이를 통해 작업치료사로서의 나의 전문성을 발휘할 수 있게 되었다(단, 이와 같은 사례에서 중요한 것은 '화장실을 사용한다'라는 작업의 수행과 관련하여 화장실로 이동하는 방법은 '걷기'여야 한다는 점이다. 그가 이미 화장실로 이동하는 수행 방식을 결정해 두었기 때문이다. 따라서 그것이 절대 불가능한 것이 아니라면, 그런 그의 의사를 존중하여 걸어서 이동하는 것을 전제로 치료에 관한 이야기가 이루어져야 한다).

이와 같이 환자나 보호자가 걷는 것만을 원할 때, 그것이 그들에게 어떤 의미가 있는지, 걷고자 하는 목적이 무엇인지 함께 생각해 보는 계기를 마련하라. 그러기 위해서는 걷는 것과 관련한 그들의 입장을 중심으로 다양한 관점과 방향에서 이야기가 이루어져야 한다.

그런 과정을 통해 걷고자 하는 욕구와 니즈의 원천이 되는 맥락을 파악하라. 왜 걷고자 하는지 환자와 보호자가 자각하게 될 때, 또 치료사가 그것을 이해할 수 있을 때 비로소 '걷기'라는 하나의 행동(action)은 보다 분명하고 명확한 목적과 의미를 지닌 작업(occupation)으로 거듭날 수 있다.

그들과 치료사 모두에게 말이다.

생각 4.

역할을 이해하면 작업이 보인다

환자와 보호자에게 '뭐가 필요하세요?', '무엇을 하고 싶으세요?', '생활에서 어려움을 겪고 있는 활동이 있다면 어떤 것이 있을까요?'라고 물으면서 그들의 작업을 알기 위해 애를 쓰는데도, 결국 '팔이 나았으면 좋겠어요, 걸을 수 있으면 좋겠어요, 팔이 나으면 생활이야 다 하지요, 생활은 몸이 나으면 다 할 수 있으니까 일단 팔이나 걷는 것에 대한 치료를 해 주세요' 등의 답변이 돌아오는 경우, 작업치료사의 입장에서는 앞으로 할 치료가 참으로 막막하고 답답하다. 당장 다음 날 해야 할 치료부터가 걱정이다.

작업치료사가 작업에 초점을 둔 치료를 하기 위해 환자와 보호자에게 그들의 작업에 관해 이리저리 물어보고 작업과 관련된 쪽으로 아무리 유도를 해도, 결국 그들로부터 원하는 대답을 듣지 못할 때 작업치료사의 가슴은 그야말로 새까맣게 타들어간다. 그 심정은 겪어 본 사람들만이 안다.

이런 경우, 『그들이 왜 그런 답변을 할 수밖에 없는가?』에 대해 먼저 생각해 보고 이해하는 것이 필요하다. 거듭

강조하지만 환자와 보호자의 입장에서 그들을 이해하려는 마음과 노력이 작업치료의 본바탕이기 때문이다.

만약 현재 아프고 불편한 곳이 있다면 어떨 것 같은가? 당연히 그곳에 온 신경이 쓰이고, 무엇보다 아프고 불편한 것이 나아지길 가장 우선적으로 원할 것이다. 이것은 아픈 사람들에게서 볼 수 있는 지극히 자연스러운 바람이자 반응이다. 작업치료사가 임상에서 만나는 환자와 보호자는 어느 누구보다도 이러한 바람이 간절하고 절실한 이들이다. 그런 그들에게 '낫는 것' 이외의 다른 것을 생각해 볼 여유는 없다. 그러니 다른 반응을 기대한 작업치료사라면 분명 실망하고 좌절할 수밖에 없다.

많은 환자와 보호자들이 마비된 상지와 하지와 같은 신체적인 기능의 손상 때문에 생활을 할 수 없다고 믿는다. 그래서 마비된 상지와 하지가 나으면 원래대로 생활을 할 수 있으리라 믿는다. 분명히 하자. 그들은 생활을 하지 않겠다는 것이 아니다. 다만, 생활을 하는 데 조건을 붙인 것이다. '아픈 것이 나으면'이 바로 그 조건이다. 생활은 이 조건이 충족된 다음에야 해 보겠다는 것이다. 조건이 충족되어야 생활을 할 수 있다 혹은 생활을 하겠다는 생각을 가진 이들을 임상에서 만나는 것은 결코 어려운 일이 아니다. 그런 이들에게 생활과 관련해서 무엇이 하고 싶은지 묻는 작업치료사는 현실감이 없거나 뭘 모르는 치료사로 보일 수 있다.

때로는 재활치료를 시작할 때 신체적인 회복에 중점을 둔 작업치료를 받았기 때문인 경우도 있다. 처음 경험한 작업치료, 처음 알게 된 작업치료가 이미 환자와 보호자의 인식 속에 '작업치료는 이런 것'이라는 관념으로 자리 잡고 있어서, 이전의 경험과 다른 방식이나 형태의 작업치료를 이해하는 데 큰 장애물로 작용하는 것이다. 이는 심리학에서 말하는 초두효과와도 관련이 있다. 그렇기 때문에 작업치료사가 작업치료는 무엇이고, 작업치료사의 역할이나 전문성이 어떤 것인지 아무리 말해줘도 그것을 받아들이는 데 거부감이나 반감을 갖거나 인식 전환에 시간이 걸리는 것이다. 결국, 이는 그들이 가지고 있는 작업치료에 대한 첫인상이 작업치료사에게 무엇을 요구해야 하는지와 관련된 선입견을 만드는 셈인데, 이것은 마치 각인과 같아서 경우에 따라 상당한 시간과 노력이 필요할 수 있다.

혹은 환자나 보호자가 어떻게 생활할 것인가에 대한 관심 자체가 없을 수 있다. 이런 경우 환자가 낫는 것에만 집중할 수 있는 나름의 맥락을 가지고 있는 경우가 대부분이다. 예를 들어 발병 후 환자가 생활에 대해 신경 쓸 필요 없이 오로지 치료에만 전념할 수 있도록 보호자가 지극정성(?)으로 간병을 한다거나 대부분의 생활을 대신해 주고 있는 경우 또는 경제적 상태가 좋아서 장기적인 치료나 병원 생활을 계획하고 있는 경우 회복에 대한 치료 외에 다른 목적의 치료는 그들에게 별로 중요치 않을 수 있다. 이러한 맥락을 가진 경우 환자나 보호자는 생활을 해 나가는 일 자체에 대한 관심을 가질 이유나 필요성이 그만큼 적을 수밖에 없다. 이런 경우 생활과 관련하여 도움을 주고 싶어 하는 작업치료사를 만나는 것은 그들로서는 썩 달가운 일이 아니다.

흔하게는 병원과 치료에 대한 선입견 때문이기도 하다. 병원은 아픈 사람을 치료하는 장소이다. 아플 때 찾는 곳이 바로 병원이 아니던가. 그리고 치료 역시 아픈 데를 낫게 하는 행위들로 인식되어 있다. 이처럼 대부분의 환자와 보호자는 아프니까 병원에 오게 된 것이고, 병원은 그 아픈 데를 치료해 주는 곳이라 여긴다. 즉 그들이 병원을 찾은 이유 자체가 자신들의 작업과 관련된 문제를 해결하기 위함이 아니라 애초에 아픈 데를 낫게 해 주는 치료를 받기 위해 온 것이기 때문에, 그들이 원하는 치료는 작업치료사가 하고자 하는 치료와 다를 수밖에 없는 것이다. 그리고 치료도 치료사가 해 주는 것을 받는 것이지 본인이 무엇인가를 스스로 해야 하는 것이라고 생각하지 않기 때문이기도 하다.

내 경험을 토대로 몇 가지 경우를 예로 들어 보았지만, 작업이 아닌 회복에 대한 치료를 원할 수밖에 없는 그들 나름의 맥락은 셀 수 없이 많다. 따라서 작업치료사에게 가장 필요한 것은 그들만이 가지고 있는 맥락을 이해하고, 그것을 바탕으로 그들의 의견, 생각, 마음을 헤아리고 이해하고 존중하는 것이다. 이것이 치료의 근본적인 출발점이 되어야 한다.

환자와 보호자가 회복에 대한 치료를 우선하는 경우, 나는 그들이 가진 치료에 대한 의견, 생각, 동기를 있는 그대로 존중한다. 다른 말로 설득하려 들지 않는다. 그러면서 여러 맥락에 의해 그들 스스로 인식하고 있는 혹은 가지게 되는 역할에 주목한다.

역할이란 삶의 여러 맥락으로부터 한 개인이 내재화한 행동 양식이다. 그리고 사람은 누구나 그 역할에 따라 원하고, 해야 하고, 필요한 행동들, 즉 역할 행동(role behavior)을 하게 된다. 이는 스스로 인식해서 하기도 하고 혹은 외부로부터 요구받아서 하기도 한다. 예를 들어 환자는 병원에 가서 치료를 받고 약을 먹어야 하며 병원의 일정이나 규칙에 맞춰 행동해야 한다. 보호자는 환자의 생활을 보조하고 환자가 치료에 전념할 수 있도록 돕는 행동을 해야 한다. 이 것은 환자와 보호자라는 각각의 역할에 대하여 사회, 문화적인 영향력 하에 학습되고 내재화된 행동들이다. 이처럼 역할은 그에 따라 해야 할 행동들을 제시한다. 하지만 역할 행동이 단순히 그 역할을 위한 행동만으로 그치는 것은 아니다. 주체가 그 행동을 하면서 어떤 의미와 목적을 부여하는지에 따라 작업으로 거듭날 수 있기 때문이다. 역할을 알면 작업을 이해할 수 있고, 나아가 작업을 스스로 탐색하고 결정하도록 도울 수 있다는 것은 바로 이를 두고 한 말이다.

병원 생활을 시작하면서 환자들은 자연스레 환자로서의 역할을 받아들이게 된다. 가족을 비롯해 병원이라는 환경에서 만나는 많은 사람들도 그들이 환자라는 역할을 자연스레 받아들이도록 하는 데 일조한다.

일단 호칭부터 바뀐다. 요즘은 병원에 따라 다르기는 하지만 보통 '환자분'이라 불리거나 'OOO 환자분'이라 불린다. 그리고 아프고 난 뒤로는 본인이 직접 할 수 있는 일들이 그전에 비해 현격히 줄어든다. 아프기 전에는 문제가 전혀 되지 않았던 일들이 생활을 하는 데 있어 크고 작은 걸림돌이 된다. 그렇기 때문에 치료를 받아야 하는 것이고, 치료에만 전념하도록 소위 보호자 또는 간병인이라 불리는 사람들이 생활의 걸림돌이 되는 일들을 대신 처리해 준다. 또 병원에서 보내는 시간이 길어지면 길어질수록 점차 아프기 전의 생활과는 더욱 멀어지게 된다. 만나는 사람들의 범위도 제한된다. 자신과 같은 처지에 있는 환자와 보호자들이 주된 만남의 대상이 된다. 아프기 전에 만났던 사람들과는 좀처럼 만나기가 쉽지 않다. 결국 병원이라는 또 다른 세상을 살아가는 일원으로서의 역할을 부여받게 되고, 그 역할에 따라 사는 것이 그들의 삶이 된다. 환자라는 역할이 생기고 그 역할에 맞춰 환자로서의 삶을 살게 되는 것이다.

환자라는 역할에 따른 일들은 무엇일까? 주로 치료와 도움을 받는 일들이다. 가족이나 간병인은 보통 환자에게 온전히 치료에만 전념할 것을 요구한다. 그것이 환자의 본분이라며. 생활이야 나중에 나으면 다 할 수 있다고 하면서. 또 환자도 치료에 전념하는 것이 현재 자신이 해야 할 일이라고 생각한다. 환자니까 도움을 받는 것은 당연지사라고 여긴다. 게다가 자신의 일인 치료도 받는 것이라 생각하는 경향이 강하다. 치료를 하는 것은 의사나 치료사의 몫이라고 여기기 때문이다. 그래서 아픈 것을 낫게 하는 역할은 자신의 역할이 아니라 의사와 치료사의 역할이라 믿는다.

자신은 그저 그들이 해주는 치료를 열심히 받기만 된다고 생각하면서 말이다. 결국, 환자로서의 역할에 있어 가장 중요한 일은 회복을 위한 치료를 받는 것이 되어 버린다. 이러한 상황에서 환자와 보호자에게 작업에 대해 질문을 한다면 듣게 될 답변은 이미 정해져 있는 것이라 봐도 무방하다. 이렇듯 환자로서의 국한된 역할은 삶을 살아가는 데 필요한 여러 역할들의 부재로 이어진다.

그런 예를 하나 들면, 퇴원 후 집에 갔는데 텔레비전을 보는 일 외에는 할 일이 없어서 다시 재입원하는 경우이다. 몸이 좋아졌다고 생각해서 집으로 갔지만 막상 집에서 할 일이 딱히 없는 것이다. 직장도 그만뒀지, 그렇다고 집안일을 자유롭게 할 수 있는 것도 아니고, 운동은 해야 하는데 막상 밖에 나가려니 귀찮고. 큰맘 먹고 나가서 해보려 하면 날씨가 너무 덥거나 추워서 나가기가 그렇고. 게다가 아직 동네 사람들에게 자신의 모습을 보여줄 자신도 없고.

그렇다. 집에서 자기가 할 수 있고 혹은 해야 할 역할의 부재와 함께 마땅히 하는 일 없이 무료하게 지내다가 다시 환자로서의 역할을 되찾기 위해(?) 다시 병원으로 돌아오는 것이다. 아직은 집에서 생활할 때가 아니라는 생각이 들어서 혹은 아직 환자라는 역할에서 벗어나지 못했기 때문에 다시 병원으로 돌아오는 것이다. 결국 환자라는 역할 이외의 생활에서 본인이 해야 하고, 할 수 있고, 하고 싶은 역할을 찾지 못한 것이 그들을 병원으로 되돌아오게 하는 주된 이유들 중 하나인 셈이다.

또 환자로서의 역할에 충실하려 하기 때문에 치료 시간에도 치료를 받으려고만 할 뿐, 치료 시간에 하고 있는 것을 본인의 생활에서 실제로 해 보려는 자발적 노력이나 시도가 없거나 부족하다. 특히, 상지 치료를 받기 위해 병원을 다니는 외래 환자들의 대부분 그렇다. 팔이 낫기를 원하지만 팔을 낫게 하는 데 필요한 역할을 오로지 치료사에게만 요구한다. 사실 이런 경우 낫기 위해서라기보다는 그저 팔의 관리를 받기 위해 치료실에 오는 것이라 봐야 할 것이다.

그런 경우 오랜 기간 치료를 받았더라도 자기 상지의 상태를 잘 모른다. 그리고 상지의 회복을 위해 스스로 무엇을 할 수 있는지, 무엇을 해야 하는지, 어떻게 해야 하는지도 알지 못한다. 치료사에게 맡겨 두었기 때문이다. 그러니 상지의 회복과 관련해 환자로서 계속 치료사에게 의존한 삶을 살 수밖에 없고, 그저 치료실에서만 잠시 상지를 써 보고 마는 것이다. 나는 이런 상지를 '치료용 상지(팔, 손)'라고 부른다. 이 역시 환자에만 국한된 역할 인식, 즉 본인이 스스로 해야 할 다른 여러 역할에 대한 인식의 부재로 발생하는 일이다.

따라서 환자와 보호자가 작업이 없다고 하거나 작업이 무엇인지 모르겠다고 한다면, 우선 그들이 생활에서 현재 어떠한 역할을 하고 있고, 그 역할에 따라 하고 있는 일들이 무엇인지 그들 스스로 생각해 볼 수 있는 계기를 마련해 주는 게 필요하다. 그런 계기를 통해 그들이 어떤 역할을 가지고 있는지, 역할의 범위는 어떠한지, 무슨 역할 행동을 어떻게 하고 있는지 등을 면밀히 파악해야 한다. 그리고 역할과 관련하여 그들이 의미와 목적을 두고 있는 일들이 있는지, 있다면 어떤 일인지, 혹은 역할에 따라 앞으로 의미와 목적을 두어야 하는 일은 무엇인지 등을 알아보라.

앞에서 든 예시와 같이 회복에 관한 치료를 원한다면, 그들이 원하는 바에 초점을 두되 회복과 관련하여 어떤 역할을 어떻게 하고 있는지, 그 역할을 위해 해야 하는 일들, 혹은 하고 싶어 하는 일들은 무엇인지, 나아가 그 역할에 충실히 임하기 위해 생활에서 어떤 일들을 할 필요가 있는지 알아봐야 한다.

환자와 보호자가 어떤 역할을 해야 하고 그 역할을 어떻게 해야 하는지를 분명히 알게 된다면, 그 역할에 따른 일을 치료사와 함께 생각해 볼 수 있는 기회를 가질 수 있다. 그리고 작업치료사 또한 그들의 입장에서 보다 자연스럽게 그들의 작업을 이해할 수 있는 기회를 얻게 된다. 다시 말해, 작업치료사가 자신이 원하는 것을 그들로부터 얻어 내기 위해 억지 노력이나 안간힘을 쓰지 않아도 된다는 뜻이다. 따라서 환자와 보호자가 자신들이 가진 여러 맥락을 되짚어 보면서 본인의 역할을 인식하도록 돕는 것이 선행되어야 한다. 이는 작업치료를 하는 데 있어 꼭 필요할 뿐 아니라 기본이 되는 과정이라 할 수 있다.

내가 만났던 K는 30대의 남성으로 뇌출혈로 인해 왼쪽 상지를 사용할 수 없게 된 사람이었다. 처음 만나 상담을 했을 때 K 역시 왼쪽 상지의 회복을 원하고 있었고, 그동안 치료로 받아왔던 치료사가 해주는 상지의 관절 운동을 상지 치료라고 여기고 있었다. 그리고 자신의 역할은 치료사가 해주는 걸 열심히 받는 것이라고 생각하고 있었다. 하지만 상담 과정에서 K는 상지가 회복되는 데 왜 시간이 걸리는지 이해하게 되었다. 또 그 시간 동안 상지의 회복을 위해 자기가 어떤 역할을 해야 하고 할 수 있는지 깨닫게 되었으며, 앞으로의 치료 과정에서 그 역할을 하는 데 필요한 일들을 배우고 연습해서 생활에서 스스로 해 나가기로 결심했다.

상지의 회복에 대한 동기는 변함이 없었지만 상지 회복에 대한 스스로의 역할 설정이 달라졌고, 이로 인해 그 역할에 따른 자기만의 작업이 생긴 것이다. K는 치료사에게 의존하는 형태의 치료에서 벗어나 생활에서 본인 스스로 상지 운동을 하고 상지를 관리할 수 있는 역할을 하는 데 필요한 일들을 배우고 꾸준한 연습을 했다. 이로써 K는 더 이상 치료의 대상이 아니었다. K 자신이 바로 치료의 주체가 되었다. 원하는 것을 얻는 데 필요한 자신의 역할에 눈뜨고, 그 역할에 대한 책임을 다하려는 마음을 먹자 K는 필요한 것들을 내게 묻고, 가르쳐준 내용들을 일일이 기록하며, 알려준 운동들을 매일 규칙적으로 아침, 점심, 저녁으로 총세 시간씩 스스로 해 나갔다. 즉, 상지의 회복을 위한 운동과 관리를 해 나가는 것이 그의 작업이 된 것이다. 그리고 K는 작업의 주체로서의 역할에 최선을 다했다.

그가 자신의 역할을 위해 매일 해 나가는 일들은 치료사의 작업이 아닌 그의 작업이었다. 이렇게 되었을 때 나는 'my hands in my pockets' 할 수 있게 되었다. 이것은 K가 자기 역할을 위한 작업을 스스로 수행해 나갔기 때문에 가능한 것이었다. 시킨다고 되는 일이 결코 아니었다.

나 또한 그렇다. 나에게 작업치료사라는 역할은 매우 중요하다. 나는 이 역할을 소중하게 여기고 있으며 잘하고 싶다. 그렇기에 그 역할을 잘하기 위해 내가 해야 하는 일들, 예컨대 공부, 강의, 치료를 누군가가 시켜서 한다거나 억지로 하지 않는다. 누구의 간섭이나 감독이 없이도 작업치료사로서의 역할을 더 잘하는 데 필요한 일들을 나 스스로 찾고, 실행하고, 확장해 간다.

자기 역할을 알고 그 역할을 해 내려면, 역할 행동을 해야 한다. 그리고 그 역할 행동에 자신만의 의미와 목적을 부여할 때 그 일은 곧 작업이 된다. 먼저 삶의 여러 맥락에 의해 환자와 보호자가 가지게 되는 역할에 주목해 보자. 그리고 그들이 그 역할을 잘하고 있는지, 어려움은 없는지, 만족스러워 하고 있는지 알아보자. 만약 역할을 하는 데 필요한 일, 원하는 일, 해야 하는 일이 있다면 이를 어떻게 삶에서 할 수 있고, 그러기 위해 무엇을 해야 하는지 그들과 이야기해 보고, 생활에서 실천해 나갈 수 있는 방안을 함께 강구해 보자. 역할이 있으면 작업은 자연히 따라온다. 그래서 역할을 이해하면 작업이 보인다.

생각 5.

진정한 클라이언트 중심의 수행 문맥 확립이란?

작업치료 중재 과정 모델(OTIPM, Occupational Therapy Intervention Process Model)은 '클라이언트 중심의 수행 문맥을 확립하는 것'으로 시작한다. 이것은 클라이언트가 누구인지, 원하는 것은 무엇인지, 원하는 역할을 하는 데 혹은 사회에 참여하는 데 문제가 되는 과제들은 무엇인지, 수행에 관련된 배경들에는 무엇이 있는지 등을 이해하기 위한 목적으로 진행되는 과정이라 할 수 있다.

임상에서 오랜 기간 많은 클라이언트들을 만나면서, 그들의 수행 문맥을 확립하는 과정을 직접 해 보거나 다른 치료사가 확립한 수행 문맥을 볼 때, 불현듯 수행 문맥을 확립하는 목적이 수행 문맥에 관한 정보들을 모으는 것 자체에 그치는 경우가 상당히 많다는 것을 발견하게 되었다.

다시 말해서 수행 문맥을 확립하기 위하여 수행 문맥을 이루는 여러 측면들에 대한 각각의 정보를 모으지만, 그것을 종합적으로 파악하고 이해하여 클라이언트의 작업이 무엇이고, 그 정보들 사이에 어떤 관련이 있으며, 작업 수행에 어떤 영향을 어떻게 미치고 있는지, 여러 측면들 가운데 치료를 할 때 반드시 고려해야 할 정보는 무엇인지 등에 대한 실질적인 분석이나 해석을 제대로 하지 않는 경우가 많다는 뜻이다.

이런 경우 수행 문맥을 열심히 파악했음에도 불구하고 진정으로 클라이언트가 원하는 작업이 무엇인지 모르거나, 치료 목표가 작업에 초점을 두고 있지 않거나, 작업 수행의 문제들과 관련된 원인 파악이 어떤 특정 측면(예: 신체 기능적 측면)에 국한되어 있거나, 치료 계획이나 그 실행이 수행 문맥과 연계되지 않는 일들이 발생한다. 그러면 결국 클라이언트를 중심으로 한 작업 기반의 평가나 치료가 제대로 진행될 수 없고, 그러다 보면 자연히 치료사 중심의 치료, 치료사가 주도하는 치료로 흘러가게 된다.

요즘은 상지 치료를 원하는 환자를 만났을 때 상지에 대한 자가 운동을 알려주거나 연습하는 것을 치료로 진행하는 경우를 많이 본다. 하지만 실제로 자가 운동을 스스로 하는 환자와 보호자들은 생각보다 많지 않다. 보통 치료 시간에 치료사와 함께 해 보는 정도에서 그치는 경우가 대부분이다. 엄밀히 말하면 이것은 자가 운동이라고 할 수 없다. 자가 운동이란 말 그대로 자신이 주도적으로 해 나가는 운동

이어야 하기 때문이다. 이런 경우 자가 운동을 배우거나 이를 생활에서 해 나가는 일이 정말 그 환자의 작업인지 재고해 봐야 한다.

이때 작업치료사가 자주 범하는 실수는 수행 문맥을 확립하는 과정에서 치료사가 클라이언트에게 필요할 것 같은 과제를 (간접적으로, 우회적으로, 혹은 무의식적으로) 제시하거나 설득하면서 클라이언트의 동의를 얻으려 할 때 흔히 발생한다(더 중대한 문제는 치료사 자신이 이렇게 하고 있다는 것을 자각하지 못하는 것이다). 그리고 클라이언트가 동의를 하면 작업치료사는 그 과제가 클라이언트의 작업이라고 굳게 믿고 치료를 진행할 때 그러한 실수는 현실적인 문제로 불거진다.

이런 경우 클라이언트가 치료사의 요구에 거절하지 못해 동의한 것일 수 있고, 상담 과정에서 치료사의 이야기를 듣다 보니 그럴 듯한 (일시적인) 마음에 동의했을 수도 있으며, 혹은 거절을 잘 못하는 성격 탓이거나 자기가 원하는 것을 잘 표현하지 못하는 내성적인 성격이어서 마지못해 동의했을 수도 있다. 경우에 따라서는 치료사가 선생님이니까 당연히 그 말을 따라야 한다는 마음에서 동의했을 수도 있다. 다시 말해, 동의를 구했다고 해서 그것이 클라이언트 스스로가 의미와 목적을 부여한 작업이라 확신하는 것을 당연시해서는 안 된다는 것이다. 설령 과제에 대한 동의를 얻었다 하더라도 그 과제가 진정 클라이언트가 원하고, 필요로 하고, 해야 하는 작업인지의 여부와 그것보다 우선이 되는 다른 작업이 있는 것은 아닌지의 여부를 반드시 심사숙고해야 한다.

좀 더 자세히 설명하자면, 만약 작업치료사가 『환자가 상지 치료를 원한다(동기적인 측면). 그래서 상담 과정에서 상지의 자가 운동과 그 필요성을 이야기했더니 환자가 이에 동의하며 상지에 대한 자가 운동을 배우기를 원했다(동기적인 측면). 그렇기 때문에 상지에 대한 자가 운동을 작업치료로 진행하고 있다.』라고 말한다면 작업치료사는 환자가 동의했다는 사실에만 근거하여, 결국 동기라는 한 측면만을 고려해서 목표를 설정하고 치료를 하고 있는 셈이 된다. 그런데 만약 이 사람이 자가 운동을 배우고 익히는 데 능력적으로 어려움이 있다면, 자가 운동을 배우는 걸 보호자가 치료로 생각지 않는다면, 자가 운동을 할 시간을 따로 내기 어렵다면 어떻게 될까? 과연 환자의 동기와 동의만으로 그 치료가 진행될 수 있을까? 치료의 목표가 온전히 달성될 수 있을까?

이는 결국 클라이언트의 수행 문맥을 구성하는 여러 측면들 중 치료사가 자기에게 필요한, 자기가 주목하고 싶은, 자신이 유리하게 활용할 수 있는 특정 문맥만을 선별하고 고려해서 치료를 진행하는 것과 크게 다를 바가 없다. 이를 두고 클라이언트 중심의 작업치료를 한다고는 할 수 없을 것이다. 그리고 이것을 작업치료사 중심의 치료가 아니라고 할 수도 없다.

또한 이러한 경우 작업치료의 목표를 클라이언트와 함께 정하지 않고 치료사가 정했을 가능성이 높다. 정작 클라이언트는 무엇이 목표인지 정확하게 알지 못한 채 치료에 참여하게 될 수 있다. 치료사가 클라이언트와 목표를 명확하게 공유하지 않았을 가능성이 큰 까닭이다. 이런 예상을 해 볼 수 있는 이유는 작업치료사의 입장에서는 클라이언트가 상담 과정에서 이미 그 과제에 대해 동의했기 때문에 그걸로 충분하다고 생각할 수 있기 때문이다. 또 상황에 따라서는 클라이언트에게 목표를 말해주기 위해 따로 상담 시간을 잡는 것이 현실적으로 어려울 수도 있고, 혹은 치료가 이미 시작되어서 클라이언트도 알고 있겠거니 하고 치료사가 넘겼을 수도 있기 때문이다.

이것이 바로 클라이언트 중심의 수행 문맥을 제대로 확립하지 못했거나 확립된 수행 문맥에 대한 전체적인 이해와 파악 그리고 해석이 제대로 이루어지지 않을 때 발생하는 가장 중대한 문제다. 수행 문맥의 여러 측면들 가운데 치료사 임의로 (자신에게 익숙한 혹은 유리한) 몇 가지 측면만을 고려하여 클라이언트의 작업을 이해했다고 확정을 지음으로써 초래되는 결과인 것이다. 이때 치료사가 고려한 몇 가지 측면은 클라이언트의 관점이 아닌 작업치료사의 관점에서 치료사인 자신이 보고 싶고, 믿고 싶은 측면일 가능성이 매우 높다. 결국 클라이언트 중심의 작업치료를 하는 듯 보이지만 실상은 치료사 중심의 작업치료를 하고 있는 것이다. 이것은 작업치료의 본질을 위협하는 심각한 문제이다.

이러한 오류에 빠지지 않기 위해서는 무엇보다 수행 문맥의 확립을 위해 파악한 여러 측면들에 해당하는 각 정보들 사이의 상호 연관성과 흐름을 읽을 수 있어야 한다. 그리고 그 내용들을 토대로 그 사람과 작업을 이해하고, 작업과 수행 문맥과의 관계를 잘 파악하고 있어야 한다.

L은 42세의 여성으로 내가 만났을 당시, 뇌경색으로 인한 우측 편마비 진단을 받고 약 2개월 남짓 재활치료를 해 왔다. 상담을 했을 때 L은 상지의 회복을 원한다고 했다. L의 직업은 디자이너였는데 오른쪽 상지로 도안을 그리고 재

단을 했었다고 했다. 그러나 오른쪽 상지가 마비가 되었기 때문에 앞으로 그 일을 계속할 수 있을지에 대한 걱정과 좌절이 큰 상태였다. 게다가 L은 일중독이라고 사람들이 말할 만큼 일에 몰두해 왔으며, 자기 일을 무척 사랑하고 있다고 했다. 휴직 처리가 된 상태이지만 나중에는 회사를 그만두고 그동안의 경험을 바탕으로 개인 사업을 할 생각도 하고 있다고 했다. 어쨌든 오른쪽 상지를 사용해서 다시 일을 할 수 있을 정도로 상지를 회복시키는 것이 가장 중요하고 시급하다고 했다.

입원 당시 주치의를 만났을 때도 이러한 이야기를 똑같이 했었다고 한다. 그런데 주치의는 오른쪽 상지가 그 정도까지 회복되기 어려우니 치료를 받는 동안 왼쪽 상지로 일을 할 수 있도록 연습하는 것이 어떠냐고 했다고 한다. 가장 현실적인 대안이기는 하지만 L은 주치의의 이야기를 듣고 매우 속상하고 슬펐으며 화가 치밀었다고 했다.

여담이지만 L의 사례와 같이 클라이언트가 (치료사가 생각하기에) 비현실적인 목표나 기대를 이야기할 때 어떤 말을 해 주어야 할지 고민해 본 경험이 있을 것이다. 이때 중요한 것은 그 누구도 다른 사람의 미래를 알 수 없다는 것이다. 어떠한 근거로 그것은 '된다, 안 된다', '포기해라, 마라', '그건 가능하다, 아니다'라고 단정하는가. 치료사가 할 수 있고 해야 하는 일은 그들의 소망, 희망, 미래를 판단하고 결정내리는 것이 아니라 클라이언트가 원하는 바를 스스로 성취할 수 있도록 지금 당장 해야 하는 일을 시작하게 돕는 것이다. 미래에 대한 예언이나 판단 또는 결정은 치료사의 몫이 아니다.

L은 앞서 말한 바와 같이 오른쪽 상지의 회복을 원하고 있었다. 그런데 가만히 들어보니 L은 매우 근면 성실한 사람이었다. 본인이 이루고자 하는 목표를 세우면 그것을 이룰 때까지 묵묵히 끝까지 해내는 성격이라고 하였다. 일에 몰두할 수 있었던 것도 이런 성격 탓이라고 했다. 심지어 26살 때부터 담배를 피기 시작해서 발병하기 전까지 하루도 빠지지 않고 담배를 피웠으며(자신을 '골초'라고 소개했다), 20년 가까이 매일 하루도 빠지지 않고 술을 마셨다고 했다(술을 마시면 창작이 더 잘된다고 했다). 그런 얘기를 하면서 자신은 일단 무슨 일이든 한번 시작하면 꾸준히 하는 성격이라고 다시 한 번 강조했다.

L은 그동안 치료사가 해 주는 상지 운동을 받아 왔다고 했다. 매일 약 15분 정도 치료사가 상지를 움직여 주었고, 그게 끝나면 15분에서 길면 20분 정도 혼자서 컵을 쌓거나

고리를 반대편으로 넘기거나 맷돌같이 생긴 도구를 돌리는 활동을 했다고 했다. 그렇게 치료 시간이 끝나면 양손으로 깍지를 끼고 팔을 들었다 내렸다 하는 것 외에 할 수 있는 것이 없었다고 했다. 하지만 실제로는 몸통을 기울이거나 비트는 등의 다른 신체 부위의 움직임이 동반되기는 했지만 오른쪽 어깨, 팔꿈치, 손가락의 관절들을 수의적으로 움직일 수 있었고, 각 관절의 분리된 움직임도 부분적으로 가능했다.

L은 치료실에서 치료를 받는 것 외에는 자신이 상지의 회복을 위해 무엇을 할 수 있는지, 또 무엇을 해야 하는지 모르는 듯했다. 그래서 나는 L에게 치료실에서 치료를 받는 것 외에 하루 일과 중 상지의 회복을 위해 스스로 하고 있는 일이 있는지 물었다. L은 일명 '코끼리'라고 부르는 기구(재활 운동 기구 중 하나로 상하지 운동에 사용)를 타거나 운동 치료실에 있는 상지 운동 기구를 사용하는 것 외에는 딱히 하고 있는 게 없다고 했다. 기구를 탈 때마다 어깨가 아픈데 왜 아픈지도 모르겠다고 했다. 그저 열심히 하다 보면 좋아질 것 같다며, 남들도 그렇게 하니까 자신도 그렇게 하면 되지 않겠냐고 오히려 내게 반문했다.

L은 지금까지 자기가 받아왔던 치료나 본인이 알아서 스

스로 해 왔던 것이 상지의 회복을 위해 자신이 환자로서 할 수 있는 최선이라 여기고 있었다. 환자니까 당연히 치료사가 해 주는 치료를 받는 것이고, 환자니까 운동을 하다 보면 당연히 아픈 것이고, 그렇게 치료를 받고 운동을 하다 보면 언젠가는 좋아지겠지 하는 기대로 병원에 있는 것이라고 하면서.

나는 우선 L에게 상지 회복의 단계와 각 단계들에서 필요한 것이 무엇인지 이야기해 주었다. 그리고 L의 상지가 현재 어떤 상태이고, 어느 단계에 해당하는지, 다음 단계로 나아가려면 어떤 과정이 필요한지에 대한 이야기를 함께 나누었다. L은 많은 질문을 했고, 나는 L이 궁금해 하는 것을 차근차근 알려주었다.

L은 생활 중 상지 회복을 위해 스스로 할 수 있는 일들에 어떤 것이 있는지 내게 물었다. 그리고 본인이 할 수 있는 일들을 배워 일정하게 시간을 내서 꾸준히 해 나가고 싶다고 했다. 병원을 다니면서 이런 이야기는 처음 들었고 자기가 무엇을 해야 하는지 깨닫게 해 줘서 고맙다고 했다. 당시 내가 원하는 대로 치료를 하려는 의도나 그와 관련된 어떠한 설득이나 제안도 없었음을 분명하게 밝힌다. 나는 그저 L이 생각해 보지 않았던 부분에 대해 생각해 볼 수 있

는 기회를 마련했고 그가 가진 궁금증에 대해 성실히 답변해 주었을 뿐이었다. 즉 L이 목적하는 바를 이루기 위해 무엇을 해야 할지 스스로 선택하고 결정할 수 있도록 돕는 역할에만 충실했다.

그 후 L은 치료 시간에 본인이 상지를 관리하고 운동하는데 필요한 것들을 배우고 연습했다. 그리고 생활 중 아침, 점심, 저녁으로 일정을 짜서 각각 한 시간 씩 배운 운동들을 스스로 해 나갔다. 이때 내가 주로 했던 일은 L이 상지 회복을 위해 자기 스스로 상지를 관리하고 운동해 나갈 수 있도록 필요한 것들을 교육하는 일이었다.

정리를 해 보면, L은 상지의 회복에 대한 강한 동기와 의지를 가지고 있었다(동기적 측면). 그동안 작업치료와 물리치료를 받아왔지만(사회제도적 측면) 주로 환자로서 치료사가 해 주는 치료를 받는 수동적인 역할에 익숙해져 있었다(역할적 측면). 매일 30분 정도의 치료를 받아 왔고, 그 이외 시간에는 상지 운동을 위한 기구들을 탔었다(시간적, 과제적, 환경적 측면). 오른쪽 상지의 경우 다른 신체 부위의 움직임이 동반되기는 하지만 어깨, 팔꿈치, 손가락을 움직일 수 있었고 제한적이기는 하지만 각 부위의 분리된 움직임이 가능했다(신체 기능적 측면). 기존에 자신이 해 왔던 것과 다른 치료 방향을 기꺼이 수용하고 선택하여(적응적 측면) 앞으로 상지 회복을 위해 본인 스스로 할 수 있는 일들을 배우고 연습하여 생활 중 매일 꾸준히 해 나가는 역할을 하고자 하였다(과제적, 역할적, 시간적 측면). 이러한 역할을 하는 데 필요한 일로는 상지에 대한 관리법과 운동법을 배우고 연습해 나가는 것이었다(과제적 측면). L은 하루에 아침, 점심, 저녁으로 각각 한 시간씩을 자유롭게 활용할 수 있었고(시간적 측면), 평소 목표 의식이 강하고 일을 시작하면 중간에 포기하지 않고 끝까지 해내고야 마는 성격이어서 잘할 수 있다는 자신감을 보였다(신체 기능적 측면). 치료와 관련하여 치료사와 협력적인 관계를 맺고 있었고(사회적 측면), 이러한 역할을 하는 데 제약이 될 우려가 있는 다른 신체 기능상의 문제는 관찰되지 않았다(신체 기능적 측면).

여기서 주목할 것은 L이 원하는 바를 달성하기 위한 본인의 역할을 깨닫고, 그와 관련한 일들을 스스로 선택했다는 것이다. 이것이야말로 '진정한 작업'이라 할 수 있다. 그것이 가능했던 이유는 수행 문맥을 확립하는 과정에서 다양한 측면들을 클라이언트와 치료사가 함께 생각해 보고 이해할 수 있는 기회를 가졌기 때문이다. 클라이언트 중심의 수행 문맥을 확립하려는 목적은 단순히 클라이언트에 관한 정보를 모으는 그 자체에만 국한된 것이 결코 아니다. 수행 문맥을 구성하는 여러 측면들에 대한 정보를 토대로 클라이언트에게 진정 의미가 있고 목적이 있는 일이 무엇인지 이해하기 위함이다. 또 그럴 수 있어야 한다.

진정한 클라이언트 중심의 수행 문맥 확립이란 수행 문맥을 이루는 다양한 측면들에 대한 파악과 이해로부터 클라이언트의 작업이 무엇인지 알고, 그 작업이 왜 클라이언트의 작업인지 아는 것이다. 반면, 어떤 특정한 측면에만 치우쳐 있거나 클라이언트의 작업이 무엇인지, 그 작업이 왜 클라이언트의 작업인지 모른다면 이는 진정한 클라이언트 중심의 수행 문맥을 확립했다고 할 수 없다.

오늘도 나에게 묻는다.

'나는 진정한 클라이언트 중심의 수행 문맥을 확립하고 있는가?'

생각 6.

환자들이 매너리즘에 빠지는 생각지 않은 이유

병동에서 다른 환자의 치료를 마치고 치료실로 내려가려던 중 병동 테라스에 앉아있는 L을 보게 되었다. L은 앞에서 소개한 바와 같이 자신이 원하는 바를 이루기 위해 생활에서 스스로 해야 할 역할을 명확한 목표 의식과 강한 의지를 가지고 충실히 해 나가고 있는 사람이었다.

잠시 시간이 있어 L에게 다가가 빈 의자를 끌어와서 그와 나란히 앉았다. 따스한 햇살과 선선한 바람에 서로 기분이 좋아진 가운데 L과 이런저런 이야기를 나누게 되었다. 그러던 중 L은 자신의 심경을 내게 털어놓았다.

최근 자신이 해야 할 일들이 무엇인지 알고 그 일들을 생활에서 꾸준히 해 나가면서, 점차 상지의 상태도 나아지고 또 성취감도 느껴서 더욱더 열심히 해야겠다는 의지가 생긴다고 했다. 하지만 그것이 좋으면서도 한편으로는 매일 매너리즘을 느낀다며, 하루에도 수십 번씩 자신의 마음을 다잡기 위해 사력을 다하고 있다고 했다.

L의 말에 나는 매너리즘에 빠지는 이유가 무엇이냐고 물었다.

"열심히 하는데 하는 만큼 좋아지지 않아서..." L은 말끝을 흐렸다.

그렇다. 자신이 하는 만큼 더 빨리, 더 많이 좋아지기를 바라는 바람과 현실에서 접하게 되는 결과의 차이는 환자들을 매너리즘에 빠트린다. 특히, L과 같이 이를 악물고 최선을 다하는 사람들이 오히려 매너리즘에 더 취약한 경우가 의외로 많다.

하지만 환자와 보호자, 심지어 치료사들조차도 주목하지 않는 가장 확실하고 주된 이유는 따로 있다. 너무 당연하기 때문에 누구도 관심을 두지 않는 그것. 그것은 바로 '치료만으로 점철된 생활양식'이다. 쉽게 말해, 날마다 되풀이되는 치료에 치우친 일과가 환자들을 매너리즘으로 몰아넣는다.

그들의 생활을 살펴보면 이 말을 어렵지 않게 이해할 수 있을 것이다. 그들의 하루 일과는 대부분 치료와 운동으로 가득 차 있다. 아침에 기상해서 식사를 하고 오전 내내 치료를 받고, 치료들 사이에 비는 시간이 있으면 운동 기구를 탄다. 점심을 먹고 잠시 쉬었다가 다시 오후 내내 치료를 받고, 저녁 식사가 나오기 전에 비는 시간이 있으면 또 운동 기구를 탄다. 저녁을 먹고 나면 걷는 연습, 코끼리 타기, 보호자와의 매트 운동 등등 개인 운동을 하느라 분주하다. 그렇게 운동을 마치고 나면 씻고 일찍 잠자리에 든다. 그리고 이것을 매일 반복한다. 심지어는 주말에도 그 많은 시간을 온전히 치료와 운동에만 쏟는다. 언제까지? 다 나을 때까지. 아니면 더 이상은 가망이 없다고 스스로 체념할 때까지 말이다.

아프기 전에는 운동의 '운' 자도 몰랐다고 하는 많은 사람들이 운동을 안 하면 퇴보할까 염려하며 혹은 나으려면 운동을 많이 해야 한다고 믿으며, 안 그래도 약해진 몸과 정신에 과할 정도의 운동을 절박하고 치열하게, 습관적이고 반복적으로, 자의나 타의에 의해 되풀이하고 있는 것이다. 운동을 업으로 삼는 운동선수들조차도 이렇게까지는 하지 않는다. 하지만 환자와 보호자는 말한다. '운동만이 살 길'이라고.

매너리즘이라는 말은 이탈리아어 'maniera'에서 파생된 말인데, 원래는 일정한 기법이나 형식이 습관적으로 되풀이

되면서 독창성을 잃고 타성에 빠지는 것을 말한다. 오늘날에는 어떤 현상을 유지하려는 경향이나 자세를 칭하는 말로 주로 사용된다. 환자들의 삶도 이와 같다. 그날이 그날 같은 하루하루를 습관적으로 되풀이하면서 하는 일들이 타성에 젖어 그 일의 의미와 목적이, 그 하루가 그들에게 더 이상 새롭게 느껴지지 않을 때, 다시 말해 몸에 밴 습성에 따라 하루를 보낼 때 그들의 삶은 말 그대로 매너리즘에 매몰된다.

상상해 보자. 우리가 매일 일, 치료, 공부만 해야 한다고 하면 어떠한가? 게다가 주말까지도 쉬지 않고 일, 치료, 공부를 되풀이해야 한다면 삶이 어떻게 느껴질까? 삶의 목적이나 즐거움, 의미를 느낄 수 있을까? 매일 되풀이하는 그 일들의 본래 의미와 목적이 점차 퇴색되고 말 것이다.

환자에게 치료와 운동은 분명 중요한 일과다. 누구도 이를 부정할 수는 없다. 그렇다고 그것만이 그들의 일과여야 한다는 의미는 아니다. 치료와 운동만이 그들의 삶에 전부가 되는 순간 환자들은 매너리즘이라는 결박에서 결코 자유로울 수 없을 것이다. 아무리 맛있고 좋아하는 음식이라 할지라도 매일 그것만 먹으면 질려서 쳐다보기도 싫어지는 것처럼.

또한 이렇게 치료와 운동에 편중된 단조롭고 습관적인 일과는 환자라는 역할을 더욱 강화시킨다. 또한 '나는 환자니까 다른 것들은 나으면 해야 해', '하고 싶은 것 다하고 웃고 즐길 시간이 어디 있어', '몸이 나아야 내가 하고 싶은 것도 하지' 등의 생각을 당연시하게 된다. 인간으로서 즐겨야 마땅한 흥미, 욕구, 동기, 재미의 추구가 모두 자신에게는 '사치'라고 생각하게 되고, 결국에는 '환자'라는 틀 안에 자신의 존재를 스스로 가두고 마는 것이다. 그리고 치료와 운동 이외에는 삶의 의미와 목적을 주는 다른 일들에는 더 이상 관심을 두지 못하게 되는데, 이것은 한 인간으로서 자신의 삶을 온전히 살아가는 데 있어 아주 큰 의식의 제약을 초래한다. 결코 매너리즘에 국한된 문제로 끝나지 않는 것이다.

따라서 매너리즘에 빠지지 않고 한 인간으로서 행위가 아닌 존재로서, 재활치료라는 쉽지 않은 과정을 헤쳐 나가기 위해서는 일과와 생활과 삶 가운데 다양한 영역의 작업들 간의 균형과 조화가 반드시 필요하다. 즉, 치료와 운동을 하되 그 외에 삶의 의미와 목적을 끊임없이 재생산할 수 있는 일들도 함께 영위하고 즐길 수 있어야 한다는 것이다. 그러면서 자기만의 방식으로 자신의 삶을 살아가야 한다. 환자가 아닌 한 인간으로서, 행위가 아닌 존재 그 자체로서.

이러한 관점에서 생각해 볼 때, 작업치료사 역시 치료를 단지 신체적 손상의 회복에 관한 것으로만 국한시켜서는 안 될 것이다. 손상의 회복만을 고려한 치료는 환자에게 치료와 운동 이외의 것들, 예를 들어 자신이 할 수 있는 일들, 역할들, 사회의 참여 등을 폭넓고 깊게 생각할 수 없게 한다. 그리고 자신이 가진 부정적인 요소들만을 의식하고 그 것에만 집중하게 만든다. 이는 오히려 그들을 매너리즘에 쉽게 빠지게 할 뿐 아니라 자신을 환자라고 여기며 환자로 서의 삶에 안주하게 만들 수 있다.

이와 같은 이유에서 작업치료사는 자기 역할에 큰 책임감을 가지고 충실히 그 책임을 다해야 한다. 환자들의 균형 잡힌 일과를 위해 힘써야 한다. 환자라는 역할의 테두리에서 벗어나기 위한 시도와 노력을 멈추지 않도록 용기를 북돋워 주어야 한다. 작업을 통해 삶의 의미와 목적을 부여하고 본인 스스로 삶의 역할을 확장시켜 나갈 수 있도록 지지하고 도와야 한다.

남들과 다르다 할지라도 자기만의 방식으로 의미와 목적 있는 삶을 살아갈 수 있도록 돕는 것이 바로 작업치료사의 역할이자 그들 스스로 삶의 매너리즘을 극복하고 예방할 수 있도록 돕는 최선의 방법이다. 나는 그렇게 믿는다.

테라스에서 나눴던 대화 이후에 L은 상지가 나으면 하려 했던 일들을 나와 함께 조금씩 해 나가기 시작했다. 마트에서 장을 봐서 간단한 요리를 만들어 보고, 그것을 주변 사람들과 나누어 먹으면서 함께 웃고 떠들기도 했다. 햇볕이 좋은 날에는 병원 밖을 나가 산책을 즐기고, 종종 근처 공원이나 카페에 가서 커피를 마시곤 했다.

퇴원할 때 L은 발병 후에 가장 많이 웃었고 마음이 평온해졌다고 했다. 환자라는 생각에 갇혀 하루하루가 똑같고 지겨웠으면서도 치료와 운동만이 이 상황을 탈출할 수 있는 유일한 출구라고 생각했었는데, 그것이 전부가 아니라는 사실을 깨닫게 되었다고 했다. 그동안 힘들고 지겹기만 했던 시간들을 즐겁게 보낼 수 있도록 도와주어 고맙다는 말과 함께.

생각 7.

작업치료를 시작하려면

사이먼 시넥(Simon Sineck)은 『나는 왜 이 일을 하는가?(Start with Why)』라는 책에서 자신이 발견한 '골든 서클(Golden circle)'을 소개한다.

원의 가장 중심에는 '왜(why)', 그다음은 '어떻게(how)', 그리고 원의 가장 바깥쪽에는 '무엇을(what)'이 위치한다. 그는 이 골든 서클을 통해 어떤 일을 시작하고 그 목표를 이루어 가는 순서에 대해 말한다.

그 순서는 'Why→How→What'이다. 즉 '왜 이 일을 해야 하는가'라는 가치와 믿음에서 시작해서, '어떻게 그 믿음과 가치를 실행으로 옮길 것인가'라는 전략과 계획 혹은 과정을 생각하고, 그래서 '무엇을 할 것인가'라는 구체적이고 명확한 행동을 해야 한다는 것이다. 이것이 바로 영감(inspiration)에 의해 자신과 타인을 행동하게 하는 원리라고 말한다.

하지만 정작 주목할 것은 순서가 어떻게 되느냐 그 자체가 아니다. 사실 그가 말하고자 하는 핵심은 어떤 일이든 '왜' 하는지를 아는 것이 무엇보다도 중요하다는 것이다. 그래서 'Why'부터 시작해야 한다고 그는 강조한다.

이것은 작업치료사들과 클라이언트들(예: 환자와 보호자)에게 매우 중요한 메시지라고 나는 생각한다. 실제로 많은 작업치료사들과 클라이언트들이 'What'과 'How'에서 시작하고 그것에 머물기 때문이다. 보통 팔이 낫기 위해서는 무엇을 해야 하고, 걷기 위해서는 어떻게 해야 하는지에 주로 관심을 두지, 왜 팔이 나아야 하는지, 왜 걸어야 하는지에 대해서는 깊이 생각하지 않는 것이 일반적이다. 즉 '무엇을 할 것인지?', '어떻게 할 것인지?'에 대한 관심에 비해 '왜 하는지?'에 대한 관심은 극히 미미한 경우가 많다.

왜 재활치료를 하는가? 재활이란 말 그대로 다시 생활하는 것을 뜻한다. 즉 자신의 삶을 다시 살아가는 것이 바로 재활이다. 결국 재활치료란 다시 생활하고 삶을 살아갈 수 있도록 돕는 치료다. 그러므로 재활치료를 하는 이유 역시 다시 생활하고 삶을 살아가는 데 있어야 한다.

이때 작업치료사의 역할은 클라이언트가 다시 생활하고 삶을 살아가는 데 있어 그들이 원하고, 필요로 하고, 해야 하는 일들을 주도적으로 해 나가고 삶에서 요구되는 역할들을 하면서 사회에 참여하도록 돕는 것이다. 즉 작업을 통해 그들이 다시 생활하고 삶을 살아가도록 돕는 것이다.

만약 클라이언트가 재활을 위해 작업치료를 필요로 하는 것이라 하면서도 신체적인 문제를 해결하기 위한 치료만 고집하고 있다면, '왜 재활치료를 하는가?'에 대해 다시 생각해 볼 수 있도록 돕는 것부터 시작해야 한다. 재활치료를 하고자 하는 목적이 어디에 있는지를 분명히 해야만, 그 목적을 실현시키기 위한 구체적인 방법과 해야 할 일을 결정할 수 있기 때문이다. 그다음에야 작업치료가 그 목적을 이루는 데 어떤 역할을 어떻게 할 수 있는가에 대해 클라이언트와 함께 논의할 수 있다.

이는 사실 임상에서 쉽지 않은 일이다. 하지만 골든 서클이 말하는 행동 원리를 자신의 임상에서 적용해 보려는 노력은 분명 해 볼만한 가치가 있다. 골든 서클은 자신 혹은 타인의 행동을 이끄는 근본적인 행동 원리를 설명하고 있기 때문이다. 사람은 어떤 방식이나 결과 그 자체를 위해 행동하는 존재가 아니다. 그런 존재가 되어서도 안 된다. 그것은 방식이나 결과의 객체로만 머무는 것이기 때문이다. 방식에 자신을 끼워 맞추고 결과를 위해 자기 자신을 희생시키는 것은 결코 옳지도 좋지도 않다.

사람은 자신이 추구하는 가치, 신념, 믿음, 목적을 바탕으로 행동하는 능동적인 주체다. 반드시 그런 존재여야 한다. 이를 위해서는 '왜 이 일을 하는가?'로부터 시작해야 한다. 따라서 클라이언트와 작업치료사가 함께 '왜 재활치료를 하는가?', '왜 작업치료를 하는가?'에 대해 생각해 보고, 서로의 생각을 소통하고 공유해 나가는 과정은 작업치료를 하는 데 있어 가장 중요한 시작이라 할 수 있다.

그러므로

'Why'로부터 시작하라!

생각 8.

작업치료를 할 때 가져야 할 마음가짐

임상에서 작업치료를 시작할 무렵, 나는 작업치료를 잘하기 위해 열심히 노력했다. 왜 잘하고 싶었을까 생각해 보면 다른 그 어떤 이유보다 나 자신의 성장과 발전을 위한 욕구가 컸기 때문이었다는 생각이 든다. 즉 작업치료사로서의 내 능력을 남들에게 인정받고 싶은 마음 때문에 작업치료를 잘하고 싶었고, 그래서 더욱더 열심히 노력했었던 것이다.

그 당시 나는 작업치료야말로 재활의 핵심이라고 생각했다. 물론 다른 영역의 치료도 재활을 돕는 데 큰 기여를 하고 중요하지만 작업치료야말로 재활에 있어 태풍의 눈이요, 계란으로 치면 노른자와 같다고 굳게 믿고 있었다. 다른 치료들은 환자의 신체적인 요소와 관련된 문제를 해결함으로써 재활을 돕는 반면, 작업치료는 그 사람의 삶과 직접적으로 관련된 일들에 초점을 두기 때문에 다시 삶을 살아가는 재활이라는 뜻에 더 잘 부합되고 더 밀접한 관련이 있는 치료라고 생각했던 것이다.

이런 확고한 믿음과 함께 나는 작업치료를 통해 환자의

삶을 바꿀 수 있을 것이라 자신했고, 그렇기 때문에 작업치료사로서의 내 역할이 그 무엇보다 중요하다고 생각했다. 따라서 내가 작업치료에 대해 더 많이 알고 뛰어나야지만 환자의 삶을 변화시킬 수 있을 것이기에, 더 많이 알고 더 잘나기 위해 열심히 공부를 했던 것이다.

그와 더불어 내가 하고자 했던 치료 역시 내 능력을 드러내고 작업치료가 가진 힘이 어떤 것인지 보여줌으로써 사람들의 인정을 받는 데 초점이 맞춰져 있었다. 남들이 내 치료를 칭찬해 주고 나를 인정해 주기를 갈구했다. 나아가 모든 사람들이 내가 믿고 있는 작업치료의 힘을 나와 똑같이 느낄 수 있기를 원했다.

이러한 생각과 믿음은 환자를 사람이 아닌 치료의 대상으로 보게 만들었다. 나는 사람을 보지 못하고 그 사람이 가지고 있는 문제를 보기 시작했다. 그리고 그 문제를 어떻게 치료해야 하는지, 무엇을 바꿔야 하는지에만 정신이 팔려 있었다. 급기야 그 사람이 원하고 필요로 하는 것이 아닌 작업치료사로서 내가 하고 싶고 해 주고 싶은 것을 치료로 진행하게 되었다. 당시 이보다 더 큰 문제는 내가 이러한 마음으로 치료를 하고 있다는 사실을 전혀 깨닫지 못하고 있었다는 것이다. 아니, 오히려 잘하고 있다고 믿고 있었다.

참으로 교만하고 무지했으며 아둔했다.

시간이 지나면서 나는 사람을 내가 마음먹은 대로 바꿀 수 없다는 사실을 깨닫게 되었다. 아니, 내 마음대로 바꿀 수 있는 게 아무것도 없다는 것을 알게 되었다. 바꾸려 하면 할수록 더욱 바꿀 수 없다는 역설을 뼈저리게 느꼈다. 또한 문제에 초점을 두다 보니 점차 그 문제의 원인이 되는 신체적인 요소에 치중된 치료를 하고 있음을 깨닫게 되었다. 치료하는 방식에 차이가 있을 뿐 결국 다른 영역에서 하고 있는 치료와 다를 바가 없었다. 작업치료의 힘을 보여 주기는커녕 오히려 작업치료사로서의 정체성과 역할의 혼란을 겪고 있는 나를 발견하게 된 것이다. 다른 사람의 인정은 고사하고 나 자신조차도 작업치료사로서의 나를 인정할 수 없었다. 그러면서 점점 작업치료는 내게 너무나 어렵고 힘든 일이 되어 가고 있었다.

나 자신조차도 누구의 말이나 요구에 의해 변하지 못한다. 아니, 변할 수 없다. 변화는 오직 나 스스로 변화를 결심할 때만 가능하기 때문이다. 이전의 나는 내 능력이나 치료로 다른 사람과 그 삶을 내가 계획한 대로 바꿀 수 있으리라는 확신을 가지고 있었다. 하지만 사실 그것은 확신이 아니라 교만이자 오만이었다.

작업치료사가 할 수 있고 해야 하는 일은 사람들 스스로가 변하겠다는 결심을 할 수 있도록, 또 그 결심을 이룰 용기를 낼 수 있도록 돕는 것이다. 그들이 어떤 변화를 원하는지 스스로 깨닫고, 그 변화를 위해 본인이 어떤 일을 할 수 있고 해야 하는지 함께 고민하면서, 그들이 실제로 그 일들을 해 나가도록 돕는 일. 그리고 그런 과정을 통해 그들이 자기 자신과 삶을 스스로 변화시켜 나가도록 돕는 일이 바로 작업치료사로서 내가 해야 할 역할이라는 것을 깨닫게 되었다.

그것을 깨달았을 때 비로소 작업치료를 하는 내 마음가짐에 변화가 일어났다. 그리고 작업치료사로서 사람들을 만날 때 그들을 대하는 태도에도 변화가 생겼다. 이전과 달리 치료의 중심에 내가 아닌 상대방을 두었고, 문제가 아닌 사람을 보았으며, 사람을 변화의 대상이 아닌 변화의 주체로 여기게 되었다.

작업치료는 사람과 사람과의 만남이어야지 사람과 그 사람이 가진 문제의 만남이 되어서는 안 된다. 문제를 보기 시작하면 절대 작업치료를 할 수 없다. 그 사람이 어떤 사람인지, 무엇을 원하는지가 보이지 않기 때문이다. 그들의 삶을 이해할 수 없기 때문이다. 문제에 가려진 작업을 볼 수 없기 때문이다.

사람을 모르고 삶을 이해하지 못한 상태에서는 작업을 알수 없고 작업을 모르면 결코 작업치료를 제대로 할 수 없다. 작업은 사람을 이해하고 그들의 삶을 응시할 때만 보이고 이해할 수 있는 것이다. 작업, 사람, 삶은 서로 맞물려돌아가는 톱니바퀴와 같다. 그러므로 문제가 아닌 사람을중심으로 그의 삶에 집중하자. 그럴 때 서로가 마음의 문을열고 함께 삶에서 필요하고 원하고 있는 일이 무엇인지, 어떤 어려움을 겪고 있는지, 무엇을 어떻게 할 수 있는지에대해 깊고 진솔하게 소통할 수 있다. 그리고 서로 신뢰하며함께 힘을 모을 때 비로소 변화는 점차 현실에서 그 모습을드러낸다.

자기 자신만이 변화의 주체가 될 수 있다. 변화란 자기자신으로부터 이루어지는 것이다. 작업치료사는 작업치료를필요로 하는 사람이 이를 깨닫고 변화를 위한 결심과 그 결심을 실현하는 데 도움을 줄 수 있을 뿐이다. 그러므로 그들을 변화시킬 수 있는 사람은 바로 그들 자신이라는 사실을 겸허히 받아들여야 한다.

한 가지 더 깨달은 것은 작업치료가 다른 사람들의 인정을 얻거나 자신을 과시하기 위한 수단이 되어서는 안 된다는 것이다. 또 그것 자체가 목적이 되어서도 안 된다. 이는 자신을 위해 남을 이용하려는 마음과 본질적으로 동일한 것이다. 이러한 이기적인 마음에서 나오는 치료는 결코 상대방에게 이로울 수가 없다. 내 목적을 이루기 위해 상대방을 이용하는 것밖에 되지 않기 때문이다. 그러므로 작업치료사는 만나는 이들을 이롭게 하고 그들의 삶에 기여하고 공헌하기 위해 모든 치료에 최선을 다하고, 더 나은 치료를 위해 끊임없이 연구하고 공부해야 한다. 이것이 작업치료사라면 마땅히 가져야 할 기본적인 마음가짐이다.

작업치료가 너무나 어렵고 힘든 일이라 여겨진다면 내가 지금 어떤 마음가짐으로 사람들을 대하고 있는지 생각해 보자. 내 마음가짐이 나의 최선과 열심을 왜곡시키고 있지는 않은지 살펴보자. 내가 어떤 태도로 사람을 대하고 작업치료를 하고 있는지 매일매일 점검하는 일은 작업치료를 하는 데 있어 꼭 필요한 습관이다.

상대방이 아닌 나 자신을 위해 치료를 하고 있는 것은 아닌지, 사람이 아닌 문제를 보고 있는 것은 아닌지, 상대방 스스로 변화하도록 돕기보다는 내가 변화시키려 하는 것은 아닌지, 상대방의 목적이 아닌 나의 목적을 위한 것은 아닌지 늘 돌아보고 살피는 습관 말이다.

지금 나는 어떤 마음가짐으로 사람을 대하고 작업치료를 하고 있는가?

혹여 남의 시선이나 인정을 받기 위해 치료를 하고 있지는 않은가?

내 마음을 매일 들여다보고 응시하기.

작업치료사에게 꼭 필요한 작업이 아닐까?

생각 *9.*

타인의 작업을 나의 작업처럼 이해하는 비결

작업의 진정한 의미와 목적을 느껴본 적이 있는가?

작업의 힘을 직접 체험한 적이 있는가?

작업이 삶에서 얼마나 중요하고 필요한지 깨닫게 된 적이 있는가?

만약 없다면 작업을, 작업의 의미를, 작업의 중요성을, 작업의 필요성을, 작업의 힘을 제대로 알지 못하는 치료사일 수 있다.

본인이 이를 느껴보지 못했는데 어떻게 다른 이들이 가진 작업의 중요성과 필요성, 그 의미와 목적을 알 수 있겠는가? 어찌 작업을 수행하면서 어려움을 겪을 때 그들이 느끼는 심정을 이해할 수 있겠는가? 그 간절함과 절박함을 말이다.

작업치료사라면 우선 자기 작업이 무엇인지, 그것이 자신에게 어떤 의미와 목적이 있는지 깨닫고 느껴 봐야 한다. 자기가 직접 느끼고 이해하고 깨닫지 못한 것을 진정으로 느끼고 이해하고 깨달을 수는 없기 때문이다.

사람은 누구나 자신의 경험치 내에서 느끼고, 생각하고, 행동한다. 그렇기 때문에 우리는 누구나 자신만의 세상에서 살아가는 것인지도 모른다. 작업치료사라면 먼저 자신에 대해 알고 자기 작업을 이해해야 한다. 그리고 느껴 봐야 한다. 깨달아야 한다. 작업이 사람에게 어떤 의미와 가치가 있는지, 삶에서 왜 중요하고 필요한지, 작업이 어떤 힘을 가지고 있는지.

더 넓은 세상을 이해하려면 여행이 필요하듯이, 그렇게 자신의 세상을 이해하게 되었을 때 비로소 우리는 더 넓은 세상으로 여행을 떠날 채비를 할 수 있다. 다른 이들의 세상, 삶, 작업을 알아가는 여정을 시작할 수 있는 것이다.

어쩌면 작업치료사에게 작업치료란 '우리'라고 하는 '나'와 '너'에 대한 여행이라 할 수 있을지도 모르겠다. 미지의 세상을 향한 여행, 가슴 뛰는 여행, 자신의 세상을 확장시키는 여행, 뿌듯함과 성취감으로 충만한 여행, 배움과 성장의 여행, 더 나은 존재가 되어가는 여행.

그러나 때론 이런 여행일지도 모른다. 가슴이 먹먹하고 어디로 가야 할지 모를 막막하고 어렵기만 한 여행, 포기하고 그냥 자기 세상으로 돌아가고 싶은 여행 혹은 시작했으니 멈추지 못하고 계속할 수밖에 없는 지리멸렬(支離滅裂)한 여행.

그렇다면, 작업치료는 내게 어떤 여행일까?

내게 작업치료는 직업이 아니라 작업이다. 생계를 위한 품삯을 위해서가 아니라 하고 싶고 즐거워서 한다. 품삯은 그러한 과정에서 얻게 되는 감사한 보상이다. 그 보상이 많으면 좋지만 적다고 해서 나쁠 것도 없다. 하고 싶은 일을 하고 그 일을 즐기는 것 자체로 얻는 만족감과 성취감만으로도 나는 이미 기쁘고 행복하다.

하고 싶고 좋아하기에 나는 작업치료를 더 잘하고 싶다. 처음에는 앞서 말한 바와 같이 다른 이들의 인정을 받고 나자신을 과시하기 위함이었지만, 지금은 작업치료를 통해 사람들이 삶을 더욱 의미 있고 목적 있게 살아갈 수 있도록 하는 데 기여하고 공헌하기 위해 잘하고 싶다. 그것이 얼마나 가치 있고 소중한 일인지 그동안 작업치료를 하면서 만난 많은 이들 덕분에 배우고 깨달았기 때문이다. 그것을 깨달았을 때, 작업치료를 선택하길 정말 잘했다고 느꼈다. 지금은 그런 이유로 작업치료를 더 잘하고 싶다.

나는 생활 중 모든 경험을 작업치료와 연관시킨다. 아니, 연관시키게 된다. 사람을 만나든, 책이나 영화를 보든, 운동을 하든, 여행을 하든, 심지어 텔레비전을 볼 때도 나는 항상 작업치료를 생각한다. 어떻게 하면 치료를 더 잘할 수 있을까, 현재 치료를 하면서 겪고 있는 어려움을 어떻게 해결할 수 있을까, 무엇을 더 생각하고 알아야 할까. 생활의 경험들을 작업치료와 관련지어 생각하고, 기록하고, 치료에 접목해 보면서 알게 된 것들을 기뻐하며 즐긴다. 내게는 생활이 곧 작업치료에 대한 배움과 공부의 장이다. 또 작업치료에 대해 가르쳐 주는 학교이자 지식의 보고이며 만나는 모든 사람들이 나의 선생님이다. 작업치료를 하지 않았다면 나는 삶의 의미, 사람에 대한 이해, 공부의 기쁨과 즐거움을 이렇게까지 느낄 수는 없었을 것이다. 그러한 기쁨과 즐거움은 영화를 보고 맛있는 음식을 먹고 멋진 곳으로 여행을 갔을 때 느끼는 희열과는 비교할 수 없는, 또 다른 그 무엇이다.

작업치료라는 내 작업을 통해, 나는 사람이 살아가는 데 있어 작업이 얼마나 소중하고 중요한 것인지 알고 있다. 그래서 자신의 작업을 모르거나 즐기지 못하거나 수행하는 데 어려움을 겪고 있는 사람들을 보면 마음이 아프고 안타깝기 그지없다. 그런 까닭에 그들을 돕고자 하는 마음이 자연히 생겨난다. 그리고 이러한 마음 덕분에 나는 최선을 다해 공부하고 연구하며 작업치료를 한다. 또 그들의 삶 속으로 거침없이 뛰어들어 그들과 함께 뒹굴며, 그들이 삶에서 자신만의 작업을 찾고, 그것을 잘해 나갈 수 있도록 돕는 일에 내가 할 수 있는 모든 노력을 기울인다. 그리고 나 역시 그들로부터 사람과 삶과 작업에 대해 배운다. 그런 배움을 토대로 내가 만나는 이들에게 더 나은 치료를 제공하고, 그들의 삶과 작업과 작업 수행에 더 큰 기여와 공헌을 할 수 있게 된다. 결국, 작업으로 연대하며 서로가 더 나은 사람이 되고 더 의미 있고 목적이 있는 삶을 살게 되는 것이다. 이것이 바로 작업의 진정한 힘이다. 나는 그렇게 믿는다.

작업을 이해하고 싶은가?

작업의 가치를 알고 싶은가?

작업의 힘을 느끼고 싶은가?

그러면 먼저 자신의 작업이 무엇인지 생각해 보라.

살아가는 데 작업이 자신에게 어떠한 의미와 가치가 있는지, 또 삶에 어떤 영향력을 얼마나 미치고 있는지 느껴 보라.

그것을 느끼고 경험할 때 비로소 만나는 사람들의 작업이 보이고 그들의 작업을 자신의 작업처럼 소중히 여기게 될 것이다.

내가 아닌 그들의 입장에서 그들의 작업을 바라보고 이해하게 될 것이다.

이것이 가능할 때 비로소 그들을 중심으로 한 작업 기반의 작업치료를 실천할 수 있을 것이다.

자신의 세상을 여행하라. 다른 이의 세상으로 나아가라. 그리고 우리가 되어 삶이라는 거대한 세상을 함께 여행하라.

생각 10.

작업치료사의 조건

세상에서 가장 쉬울 것 같으면서도 어려운 일이 무엇인지 아는가? 바로 자신을 사랑하는 일이다.

사랑에 빠지면 그 사람만 생각난다. 또 그 사람이 원하는 것은 무엇이든 다해 주고 싶어 한다. 사랑하는 사람이 아프고 힘들어 할 때는 온 마음을 다해 그 아픔과 힘듦을 기꺼이 껴안으려 한다. 위로와 격려도 아끼지 않는다.

또 사랑하는 사람이 행복해 하고 기뻐하는 일이라면 설사 그것이 자신을 희생해야 하는 일이라도 기꺼이 하려 한다. 사랑이 인간의 가장 고귀한 가치인 이유가 바로 여기에 있다. 자기보다 타인을 우선에 두는 그 마음 말이다.

그런데
자신에게는 어떠한가?
누군가를 사랑하는 것처럼 자신을 사랑하고 있는가?
자신을 위해서라면 무엇이든 할 수 있는가?
아파하고 힘들어할 때 자신을 위로하고 격려하는가?

위로나 격려 대신 자책하고 질책하지는 않는가?

자신을 기쁘고 행복하게 하는 일을 하고 있는가?

타인의 시선을 의식하고 있지는 않은가?

자신을 타인의 기대나 기준에 맞추며 살고 있지는 않은가?

타인에게는 한없이 관대하지만 자신에게는 칭찬은커녕 위로나 격려조차 인색하지는 않은가?

고백하자면 나는 나를 사랑하지 못했다.

나 자신에게 엄격한 기준을 들이댈 때가 많았다.

칭찬이나 위로, 격려가 필요할 때 오히려 자책하고 질책했다.

타인의 시선을 의식하고 남의 기대와 기준에 맞춰 사느라 바빴다.

소기의 성과를 얻지 못하면 스스로를 못났다 여기고 혹독하게 몰아붙였으며, 훌륭한 성과를 얻었을 때조차 기뻐하고 즐거워하기 보다는 다음 해야 할 일을 하는 데 조바심을 냈다.

쉬어야 할 때조차 항상 무언가를 해야 한다는 강박관념에서 벗어나지 못했다. 그래서 마음 편히 쉴 수가 없었다.

그랬던 내 모습을 나는 작업치료를 하면서 만나는 사람들에게서 본다. 내가 나를 사랑하지 못할 때의 모습들을.

　그들은 어느 날 갑자기 자기 삶에서 많은 것들을 잃어버리고 삶의 의미나 가치를 더 이상 느끼지 못한 채, 남은 삶에 대해 좌절하고 절망하고 있었다. 남은 삶을 고통스럽지만 살아내야 하는 그 어떤 것으로 받아들이면서, 먹기 싫은 밥을 억지로 입에 넣고 꾸역꾸역 삼키듯 하루하루를 보내는 이들이었다.

　그들을 만났을 때 나는 알았다. 그들이 더 이상 자신을 사랑하고 아끼지 못하고 있다는 것을. 이전과 달라진 자기 모습과 삶을 사랑하지 않음을. 아니, 사랑할 수 없음을.

　스스로를 사랑하지 못하면 절망을 마주한 자신을 위로하거나 격려할 수 없다. 시련을 극복할 용기와 자신감도 가질 수 없다. 자신을 위해서 쓰는 돈(예: 병원비)이나 시간(예: 치료 시간 외에 본인이 좋아하는 것들을 즐기는 시간, 가족들과의 시간)에도 무척 인색하다. 항상 타인의 시선을 의식하고, 타인과 자신을 비교하면서 스스로를 끊임없이 혹독하게 몰아붙인다(예: 자신에 대한 주변 사람들의 시선을 의식하여 집에 가려 하지 않고 여러 병원을 계속 전전하거나 남들과 자신을 비교하며 과도한 운동으로 자신을 혹사한다).

결국 가장 큰 문제는 불편한 몸과 함께 겪는 마음의 장애다. 그것은 자신을 온전히 아끼고 사랑하지 못하는 마음에서 생겨난다. 자신을 사랑하지 못하면 설령 몸이 좋아진다 하더라도 생각과 달리 자기 삶을 능동적으로 의미 있게 살아갈 수 없다. 자기 자신을 사랑하지 못하는데 어떻게 삶을 소중히 여길 수 있겠는가. 자신에 대한 사랑이 없는 삶은 건조하고 삭막하다. 자기를 사랑하지 않는 삶은 즐겁지도 행복하지도 아름답지도 않다. 살아있지만 죽은 삶이다.

사람은 존재 그 자체로 존엄하다. 삶은 살아간다는 것 그 자체로 위대한 것이다. 그래서 나는 사람들이 자신을 더 사랑하도록 돕는 것이 작업치료사로서 내가 해야 할 일이라고 믿는다. 장애의 유무와 관계없이 존재함, 그 자체만으로 자신과 삶이 가치가 있다는 사실을 깨닫도록 돕는 그 일이.

장애 때문에 삶에서 자신들이 원하는 일이나 해야 하는 일, 필요한 일들을 포기하며 살아가지 않도록 돕고 싶다. 한 사람으로서 존재의 존엄성을 회복하고 자신의 삶을 자기만의 방식으로 온전히 영위할 수 있도록 돕고 싶다. 나아가 자신의 삶에 대한 의미와 목적을 스스로 부여하며 자신과 자신의 삶을 더욱 소중히 여기고 뜨겁게 사랑하도록 돕는 것이 작업치료사의 사명이라 믿는다. 나는 이 사명을 다하고 싶다. 온 마음을 다해.

이제 나는 안다. 이 사명을 다하기 위해서는 먼저 있는 그대로의 나 자신을 사랑해야 한다는 것을. 내 삶을 소중히 여기고 사랑해야 한다는 것을. 이런 사랑이 나의 내면과 삶 속에 충만할 때 내가 하는 일들에서 의미와 목적을 발견할 수 있다는 것을. 그때야말로 진정한 작업을 즐기며 내 삶을 만끽할 수 있다는 것을.

작업으로 가득 찬 삶을 영위하는 자신의 모습을 생각해 보라. 매 순간 자기만의 의미와 목적을 이루는 삶을 산다는 것은 그야말로 커다란 기쁨이자 축복이 아닐 수 없다. 자신의 작업을 알고 사랑하고 수행하며 사는 것이 바로 삶의 행복이다. 작업치료를 제대로 하려면 이러한 기쁨과 충만함 그리고 행복을 작업치료사인 자신이 먼저 맛보아야 한다. 이것이 진정한 작업치료사가 되는 가장 첫 번째 조건이라고 나는 믿는다.

자신과 삶을 사랑할 때 비로소 작업의 씨앗을 삶이라는 대지 위에 뿌릴 수 있다. 그 씨앗이 싹을 틔우고 꽃으로 피어날 때 자신과 삶은 아름답다. 꽃잎이 떨어지고 작업이라는 열매가 맺힐 때 풍요로운 삶이 된다. 의미 있고 가치 있는 삶을 살아갈 수 있다. 작업치료사는 그 열매가 어떻게 맺히는지 알고 있어야 한다. 아니, 직접 체험해 봐야 한다. 그리고 그 열매가 얼마나 소중하고 가치 있는지도 먼저 느껴 봐야 한다. 그럴 때 각자의 삶 속에서 자기만의 열매를 맺도록 다른 사람들을 도울 수 있다. 즉, 만나는 사람들이 자신의 삶에 작업의 씨앗을 심고, 꽃을 피우고, 열매를 맺도록 도울 수 있는 것이다. 그게 작업치료사가 해야 하는 일이다. 치료사 본인의 열매를 나눠 주는 것만으로 그쳐서는 안 된다. 모두가 자기만의 고유한 열매를 맛볼 수 있도록 도울 수 있어야 한다.

'너 자신을 사랑하라.'

이것이 작업치료사가 되기 위한 가장 기본적인 조건이다. 나는 그렇게 생각한다.

자, 당신은 그 조건을 갖추었는가?

작업치료사로서 작업치료를 하는 당신에게

소위 명품이라고 불리는 물건들은 그 가치와 가격이 그것을 만드는 데 들어간 비용에 의해 결정되는 것이 아니다. 그것을 가졌을 때 그 사람의 가치를 얼마나 더 높게 만드는가에 의해 결정된다.

작업치료사도 그와 같다고 생각한다. 작업치료사로서의 나의 가치는 연봉, 조건, 직위, 연차 등에 의해 결정될 수 있는 것이 아니다.

사람들을 만나 작업을 공유하고 삶을 연대함으로써 나 자신과 삶에 대해 어떤 의미와 목적을 가지게 되었고, 그것을 어떻게 실현해 나가고 있으며, 다른 이들의 작업과 삶에 어떠한 기여와 공헌을 하고 있는지가 작업치료사로서의 나의 가치를 결정한다고 믿는다.

나는 작업치료를 하면서 만나는 사람들의 작업과 삶에 대한 교감을 통해 결코 값으로 따질 수 없는 작업치료의 가치를 경험하고 느낀다.

또 작업치료를 통해 더 나은 자신과 삶을 위해 변화를 결심하고 어려움을 극복하면서, 자신의 목적을 이루고 의미 있는 삶을 살아가기 위해 최선을 다해 노력하는 이들을 볼 때 느끼는 벅찬 감동은 형언하기 어렵다.

작업치료를 하면서 개인적으로 느끼는 성취와 보람은 나 자신의 가치를 확인시켜 줄 뿐 아니라, 내 존재 이유가 만나는 사람들이 본인들의 작업을 통해 자기 삶을 더욱 의미 있고 목적 있게 살아가도록 기여하고 공헌하는 데 있음을 깨닫게 한다.

비록 내가 지구상의 모든 인류를 만날 수는 없겠지만, 작업치료를 통해 적어도 내가 살아가는 동안 만나는 이들의 삶에 기여하고 공헌함으로써, 그들이 살아가면서 만나게 될 또 다른 이들과 삶에 간접적인 기여와 공헌을 할 수 있으리라 난 믿는다. 그렇게 작업치료사로서 인류가 더 행복하고 위대한 삶을 추구할 수 있도록 이바지하는 일이 내가 이 세상에 존재하는 동안 인류를 위해 완수해야 할 사명이라고 생각한다. 그리고 그 사명을 완수하기 위해 항상 노력하고 있다.

세상의 많은 사람들이 성공을 꿈꾼다. 하지만 많은 사람들이 꿈꾸는 성공은, 그 사람들의 수만큼 다양하지는 않다. 다양한 사람들이 꿈꾸는 성공은 최소한 그 사람들의 수만큼 다양해야 할 텐데 말이다. 부와 명예와 권력이 가장 일반적으로 통용되는 성공의 잣대인 까닭일 것이다. 사람들마다 성공에 대한 각자의 정의와 기준이 각각 존재하는 것이 마땅함에도 현실은 그렇지 못하다.

이는 성공에만 국한된 것이 아니다. 삶의 모습도 이렇게 맹목적이고 획일적인 성공과 많이 닮아 있다. 나는 많은 사람들이 자기 삶을 스스로 정의하고, 삶의 기준을 본인이 세울 수 있도록 돕고 싶다. 그리고 그 기준에 따라 자신만의 고유하고 소중한 삶을 즐기고 영위해 나가도록 돕고 싶다. 나는 이를 실천하기 위해 작업치료라는 나의 전문성을 바탕으로 내 나름의 노력을 기울이고 있다. '작업치료사 김재욱'이라는 이름으로 말이다. 그래서 나는 내 이름 석 자 앞에 붙는 '작업치료사'라는 말이 좋다.

그러기 위해서는 우선 나 자신부터 삶에 대한 나만의 가치 기준을 명확히 가지고 있어야 한다고 생각한다. 그리고 그것을 토대로 작업치료사로서 추구하는 의미와 목적에 맞는 작업치료의 기준을 세우고, 그 기준에 따라 치료를 펼치고 스스로에게 부끄러움이 없는 작업치료사로서의 삶을 살아가야 한다고 믿는다.

그래서 작업치료사로서의 정체성과 작업치료에 대한 가치관의 혼란이 생길 때마다 나는 내 자신에게 묻는다.

'작업치료사와 작업치료의 가치를 사회에서 통용되는 획일적인 잣대로 규정하거나 제한하고 있지는 않는가? 남들이 규정하는, 딱 그 가치만큼의 마음으로 작업치료를 하고 있지는 않은가?'

만약 그렇다고 생각될 때는 스스로에게 말한다.

'가치는 누군가가 정해줄 수 있는 것이 아니라 나 스스로 만들어 내는 것이다. 내가 하는 치료를 통해 나 자신과 내가 만나는 이들이 더욱 가치 있는 삶을 살 수 있도록 노력한다면 한계는 결코 있을 수 없다!'

여러분들에게 이 책이 어떠한 가치가 있을지 궁금하다. 그 가치는 책을 읽는 여러분이 결정할 몫이라는 것을 나는 잘 알고 있다. 다만, 이 책을 쓴 저자로서의 바람은 한 번쯤 작업치료사로서의 자기 자신과 본인의 치료를 되돌아보면서, 자신이 얼마나 가치 있는 일을 하고 있는지 음미해

봤으면 한다. 좀 더 욕심을 내자면, 앞으로 작업치료사로서 작업치료를 통해 어떤 가치를 만들어 내고 싶은지 스스로에게 묻고 답하는 기회를 가졌으면 좋겠다.

그랬으면 정말 좋겠다.